hoofdluis

en andere

stekers, bijters en zuigers

Geert-Jan Roebers

hoofdluis
en andere
stekers, bijters en zuigers

WinklerPrins

Uitgeverij Unieboek | Het Spectrum bv, Houten - Antwerpen

Winkler Prins maakt deel uit van

Uitgeverij Unieboek | Het Spectrum bv

Postbus 97

3990 DB Houten

www.winklerprins.com

www.unieboekspectrum.nl

Tekst: Geert-Jan Roebers

Advies: Desirée Beaujean en Marieta Braks, RIVM

Ontwerp en vormgeving: Hartebeest, Nijmegen

Met dank aan: Fieke en Emke Hendriks, Jack Muller

ISBN 978 90 003 0652 7

NUR 432

Inhoud

Inleiding

Hoofdluizen zijn onvermijdelijk. De meeste kinderen krijgen ze vroeg of laat. Vervolgens zitten ook ouders, oma's, juffen of buren ermee in het haar. Hoe kom je eraan? En vooral: hoe kom je ervan af? Daar wordt veel over beweerd in protocollen, mappen en schriftjes, op internetforums en het schoolplein. Met hele waarheden, maar ook veel halve en soms klinkklare onzin. Met simpele tips maar ook adviezen die het hele gezinsleven op zijn kop zetten.

Buiten springen, kruipen, vliegen en zwemmen andere lastige beesten rond. Stekers, bijters en zuigers die een vakantie kunnen vergallen. Vaak geeft alleen hun aanwezigheid al stress. Dit boek wil helderheid geven over hoe je efficiënt en vooral ontspannen met al dat lastig gedierte kunt omgaan.

Rust in de tent

De hoofdluis eist de eerste helft van dit boek op. Niet voor niks: dit is het hardnekkigste beestje waarover ook de hardnekkigste misverstanden bestaan. Bovendien is er de afgelopen jaren heel wat meer bekend geworden over het bestrijden en voorkomen van hoofdluizen. Het goede nieuws: in veel opzichten wordt het makkelijker. Te vaak was het motto 'baat het niet, het schaadt ook niet'. Maar een lievelingsknuffel in de vriezer schaadt een tere peuterziel dus wel. Net zoals een kookwasbeurt voor al het beddengoed een zware wissel trekt op een druk gezin. En als het niet baat, zoals in dit boek zal blijken, dan heeft u nu de zekerheid dat u dat niet meer hoeft te doen.

De andere lastposten zoals de teek, wesp, bij, vlo, mug, mier en kwal komen in de tweede helft van dit boek aan bod. We hebben ons beperkt tot de lastigste diertjes in Nederland en België. Dus geen enge schorpioenen. Ook hier staat weer de biologie van het beestje centraal, vooral om rust in de tent te scheppen en wanneer nodig houvast te geven voor gerichte actie.

Kosten en baten

Absolute zekerheid is er nooit, maar zeker is wel dat er een hoop onzin wordt verkocht op het schoolplein en bij de drogist. Dit boek probeert zin van onzin te scheiden om ongefundeerde angst en overbodige actie voorkomen.

Waar dit boek minder over kan zeggen is over ongemak. Dat ligt voor ieder anders. Dagelijks luizenkammen is makkelijker bij een tiener met stekeltjes dan bij een onwillige kleuter met een bos krullen. De één wordt gek van een muggenbult, de ander blijft stoïcijns onder een bijensteek. Het afwegen van kosten, baten en risico's moet ieder voor zich doen. Misschien is dat nog wel het moeilijkste. Succes, sterkte en voldoening gewenst!

Geert-Jan Roebers

Hoofdluis

Een weldoorvoede luizenvrouw in haar element. De met bloed gevulde darm is door de huid te zien.

Luizenlijf en luizenleven

De hoofdluis is een lastpak maar in de eerste plaats is het gewoon een diertje. Net als alle andere diersoorten is hij zo goed mogelijk aangepast aan zijn omgeving: de kruin van een mens. Terwijl de oermens tot *Homo sapiens sapiens* evolueerde, ontwikkelde de oerluis zich mee tot *Pediculus humanus capitis*. Met duizenden jaren luizenpluizen selecteerden onze voorouders de meest vasthoudende diertjes uit. En daar zitten wij nu dus mee.

In dit hoofdstuk leren we de luis beter kennen. Hoe zijn minuscule lijfje alles heeft om te overleven, zich voort te planten en nieuwe kruinen te koloniseren. Hoewel er niks op tegen is om bewondering voor het beestje te krijgen, is het doel natuurlijk om zijn zwakke kanten te ontdekken. En die heeft de hoofdluis zeker. Ondanks zijn vasthoudendheid is een luis een kwetsbaar diertje. Buiten een hoofd is hij reddeloos verloren. Een luis zal er daarom alles aan doen om te voorkomen dat hij overboord slaat. En, toch wel bewonderenswaardig, om zijn gastheer zo weinig mogelijk tot last te zijn.

Familie en bouw

Hoofdluizen zijn insecten. Met zo'n miljoen tot nu toe beschreven soorten vormen die de soortenrijkste klasse van het dierenrijk. De klasse van de insecten wordt ingedeeld in 29 ordes waaronder de kevers, de vlinders en de libellen. Ook de luizen vormen een aparte orde, met zo'n 6000 soorten: stuk voor stuk parasieten van warmbloedige dieren. In werkelijkheid zijn het er waarschijnlijk meer want vrijwel elke zoogdier- en vogelsoort heeft zijn eigen luis. Zo is de zeeolifantenluis als verstekeling houder van het wereldrecord diepzeeduiken voor insecten en behoort de Tasmaanse-duivelluis samen met zijn zeldzame gastheer tot de bedreigde diersoorten. Zouden wij uitsterven, dan sleuren we maar liefst drie verschillende luizen mee – een unicum onder de zoogdieren – want naast de hoofdluis zijn ook de kleerluis en de schaamluis voor hun voortbestaan van de mensheid afhankelijk.

Naaste en verre verwanten

Hoofdluis en kleerluis zijn nauw verwant. Op het oog zijn ze moeilijk uit elkaar te houden en in een laboratorium kun je ze zelfs kruisen. In 'het wild' zullen ze dat nooit doen: ze bewonen een andere biotoop en leiden een heel ander leven. Het belangrijkste verschil is dat kleerluizen hun eitjes in kleding leggen en hoofdluizen ze aan hoofdharen plakken. De kleerluis komt alleen voor bij mensen die wekenlang dezelfde kleren dragen, dag en nacht. Daarmee is deze luis een zeldzaamheid. Gelukkig maar, want kleerluizen kunnen nare ziektes overbrengen, zoals vlektyfus. In de loopgraven van de Eerste Wereldoorlog hebben ze vele slachtoffers gemaakt. Wat dat betreft is de hoofdluis een onschuldig beestje.

De schaamluis woont nog verder weg van de hoofdluis. Deze luis verschilt in uiterlijk veel van de andere twee mensenluizen: zijn lijf is breed en afgeplat. Platjes worden ze ook wel genoemd. Het platje is meer verwant met de gorillaluis dan met de hoofd- en kleerluis, die weer dicht bij de chimpanseeluis staan. Hoewel minder zeldzaam dan de kleerluis, komt de schaamluis niet zo heel veel meer voor. Door de 'Braziliaanse mode' is hun leefgebied de laatste jaren ook sterk ingekrompen.

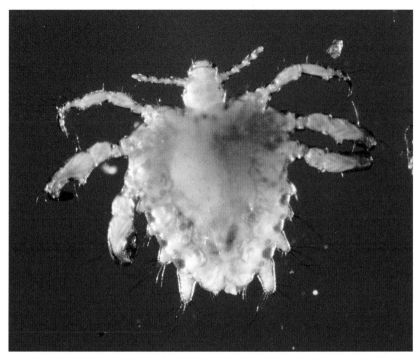

De schaamluis - kleiner en platter dan de hoofdluis - heeft de vorm van een zeeschildpad.

Bladluizen zijn totaal niet met de hoofdluizen verwant: ze staan dicht bij de wantsen. Ook de minuscule stofluizen die boekenkasten bewonen zijn letterlijk insecten van een andere orde. Visluizen staan nog verder van de hoofdluis af: het zijn kreeftjes. Alleen hun parasitaire leefwijze komt overeen.

Formaat en kleur

De meeste insecten zijn niet zo groot maar de hoofdluis is echt minuscuul. Een volwassen vrouwtje is een millimeter breed en nog geen drie millimeter lang, een mannetje nog een halve millimeter korter. De jongste luisjes meten net één millimeter. Maar luizen zijn altijd duidelijk dikker dan een hoofdhaar, dus een geoefend oog pikt ze er wel uit.

De kleur verschilt: zandkleurig, roodbruin, licht blauwgrijs tot donkergrijs. West-Europese luizen zijn doorgaans lichter gekleurd dan zuidelijke soortgenoten. Logisch, want op een blonde kop pik je een donkere luis er eerder uit. Een typisch geval van natuurlijke selectie.

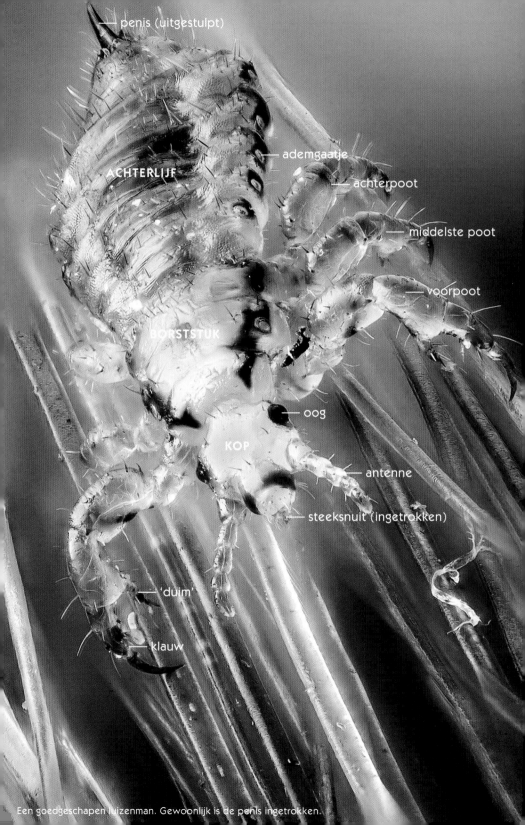

penis (uitgestulpt)

ademgaatje

achterpoot

middelste poot

voorpoot

ACHTERLIJF

BORSTSTUK

oog

KOP

antenne

steeksnuit (ingetrokken)

'duim'

klauw

Een goedgeschapen luizenman. Gewoonlijk is de penis ingetrokken.

Met een loep is op hun lichte lijf een aantal donker gekleurde delen te zien: de klauwtjes, de zijkanten en – bij sommige mannetjes – dunne dwarsstreepjes op het achterlijf. De huid is stevig maar niet zo hard als bij veel andere insecten. Een luis laat zich daardoor makkelijker pletten dan een vlo en raakt eerder gewond door krabbende nagels en rossende kammen.

Waar geen pigment zit, schijnt de huid door. De meestal met bloed gevulde darm is daardoor te zien. Samen met de donkere zijkanten lijkt het dan of de luis drie lengtestrepen heeft. Dat draagt bij aan camouflage tussen de hoofdharen.

FABEL - Luizen kunnen hun kleur aanpassen aan het haar waarin ze leven.

FEIT - Het klopt dat in zuidelijke landen hoofdluizen donkerder zijn dan in de noordelijke, maar van kleur veranderen kunnen ze niet. De kleur is erfelijk. Het is een geval van natuurlijke selectie: luizen die minder opvallen glippen vaker door een luizencontrole.

Kop en poten

Net als de meeste insecten heeft de luis een driedelig lichaam: een (kleine) kop, een (middelgroot) borststuk en een (groot) achterlijf. De kop draagt op de zijkant een paar donkere oogjes. Ze stellen weinig voor: de luis ziet er niet veel meer mee dan het verschil tussen donker en licht. De antennes zijn veel belangrijker. Hoewel ze in de volksmond 'voelsprieten' worden genoemd, kan de luis er veel meer mee. Hij neemt er onder andere geur en luchtvochtigheid mee waar, onmisbaar bij het vinden van een goed plekje en een partner. Eveneens onmisbaar is de mond met een krans van kromme haakjes rond een steeksnuit. De holle snuit is in rust ingetrokken maar kan een halve millimeter uitstulpen om een bloedvat aan te boren.

Anders dan bij veel andere insecten draagt het borststuk van een luis geen vleugels. Wel zitten er drie paar stevige poten aan, elk eindigend in een krachtige, kromme, beweeglijke klauw. Deze vormt samen met een iets kortere 'duim' een efficiënte tang waarmee de luis zich aan haren kan vastklampen. De vorm van de klauwtjes is niet in alle streken hetzelfde. Ze zijn zo gevormd dat ze het best om het meest voorkomende haartype passen. In de poten heeft de luis gevoelige zintuigen die abrupte bewegingen van zijn omgeving direct constateren. Zo heeft een luis het snel door als er gekrabd of gekamd wordt.

Bloed, lucht en water

Het achterlijf bestaat uit zeven ringen (segmenten) en bevat het grootste deel van het spijsverteringskanaal. Overigens ligt de darm niet gekronkeld zoals bij ons, maar is het een rechte buis van mond tot anus. De middendarm is het dikst en neemt ongeveer een derde van de inhoud van het achterlijf in beslag. Hierin wordt de maaltijd – mensenbloed dus – verteerd.

Ademhaling gebeurt niet door de mond maar door gaatjes in de lichaamswand die de in- en uitgang vormen van een stelsel van minuscule buisjes. Behalve voor de aanvoer van zuurstof en de afvoer van koolzuur zorgen deze buisjes ook voor de afvoer van waterdamp. Zo spelen luizen het klaar om ondanks hun vloeibare voedsel toch droge ontlasting te hebben.

Leefgebied en voedsel

Elke diersoort heeft een voorkeur voor een bepaald leefgebied. Een boomkikker voelt zich niet thuis in een woestijn, een woestijnvos niet op de toendra en een pinguïn niet in de polder. Er zijn opportunisten die zich bijna overal thuis voelen en specialisten die een speciale leefomgeving vereisen. De hoofdluis is misschien wel een van de meest veeleisende dieren die er bestaan. Vanwege hun gebrekkige waterhuishouding drogen hoofdluizen snel uit. Ze mijden droogte en licht. In een droge omgeving zijn ze snel verzwakt en leggen ze meestal al na enkele uren het loodje.

Perfecte biotoop

De minuscule, koudbloedige luis neemt snel de temperatuur van zijn omgeving aan. Als zijn lichaam te veel afkoelt, speelt een luis niks meer klaar. Ook de ontwikkeling van de eitjes vereist een aangenaam klimaat. Alles bij elkaar is er maar één biotoop die aan alle eisen van de hoofdluis voldoet: een harig mensenhoofd. De hoofdhuid geeft vocht en warmte af en de haardos houdt het microklimaat constant. Bovendien is met de hoofdhuid altijd een onuitputtelijke voedselvoorraad binnen bereik. Zelfs op een hoofd heeft de luis nog voorkeursplekjes. Donkere en vochtige plaatsen zijn favoriet: achter de oren en in de nek en ook wel onder de pony.

Of het luizen ook wel eens te vol wordt op een hoofd is niet helemaal duidelijk. Van concurrentie zullen ze niet veel last hebben: haren en bloed genoeg. Volgens de verhalen zijn er ooit bij één persoon duizend luizen geteld. Toch zul je bij ons zelden meer dan twintig luizen op een hoofd vinden.

Overstappen naar een ander hoofd doen luizen als dat veilig kan, maar van een hoofd overstappen naar een kussensloop of kraag doen ze alleen in extreme gevallen, zoals dood of hoge koorts van de gastheer. Het mooie – voor de luis dan – is dat ze dat ook niet hoeven: hun hele leven speelt zich op een mensenhoofd af. Anders dan bijvoorbeeld vlooien of zeeschildpadden hoeven luizen hun vertrouwde omgeving niet uit als ze hun ei kwijt moeten.

Persoonlijke voorkeuren

Op het Micronesische eiland Satawal maakt de hoofdluis deel uit van de cultuur. De bewoners koesteren hun luizen en geven ze aan elkaar door. Toch heeft niet iedereen er hoofdluis. Ongeveer één op de veertig Satawalezen blijft luizenvrij, ondanks het feit dat er niets mis is met hun haardos. Blijkbaar hebben luizen een voorkeur voor bepaalde personen. Zo kan het ook hier best zo zijn dat de één aantrekkelijker is voor luizen dan de ander.

FABEL - In een zwembad zwemmen de luizen van hoofd naar hoofd.

FEIT - Luizen houden beslist niet van zwemmen. Als hun gastheer het zwembad induikt, klemmen ze zich extra goed vast. Kopje onder doorstaan ze zonder problemen, net als een douchebeurt. Maar als ze loslaten, overleven ze dat avontuur vrijwel zeker niet.

Het is een misverstand dat luizen een schoon hoofd verkiezen boven ongewassen haren. Wel zijn ze duidelijk vaker te vinden bij mensen met lang haar. Dat is niet zo verwonderlijk. Hoe langer het haar, hoe stabieler het microklimaat en hoe veiliger de schuilplaats. Nog belangrijker is dat de overstap van het ene naar het andere hoofd makkelijker gaat via lange haren. Dat is ook de reden voor de schijnbare voorkeur van luizen voor jonge kinderen: tijdens het spelen steken die makkelijk de koppen bij elkaar. Dat geldt vooral voor meisjes, die ook gemiddeld langer haar hebben. Meisjes hebben daardoor vaker last van luizen dan jongens.

Spaghetti of tagliatelle?

De vorm van het haar speelt ook een rol. Dat heeft te maken met de vorm van de klauwtjes. Bij Europese luizen passen ze het best om ronde haren, in Afrika sluiten ze beter om afgeplat haar. Niet gek als je weet dat steil haar rond is als spaghetti en kroeshaar plat als tagliatelle. Zo hebben Afrikanen in onze streken minder vaak last van luis en blijven steilharigen in Afrika makkelijker luizenvrij. In West-Europa hebben roodharigen vreemd genoeg ook minder last van luis.

Spugen en zuigen

Het dieet van luizen is eenzijdig: bloed. Blijkbaar steekt het nauw met de samenstelling, want de hoofdluis verdraagt alleen mensenbloed. Het bevat – naast veel water – veel eiwitten en maar weinig koolhydraten. Om in hun energiebehoefte te voorzien, verbranden de luizen de eiwitten. De vrouwtjes gebruiken de voedingsstoffen ook om eitjes te produceren. Hun eetlust is dan ook groter dan die van de mannen.

Bloed zuigen is lastiger dan het lijkt. Een luis moet precies een bloedvat aanboren, anders lukt het niet. Eerst plaatst de luis zijn mond op de hoofdhuid en verankert die met de krans van tandjes op zijn 'lippen'. Vervolgens schuift hij zijn steeksnuit uit en boort die tot een halve millimeter diep de huid in. Is het mis, dan trekt de luis zijn snuit weer in en probeert het een fractie verder opnieuw. Is het raak, dan brengt de luis eerst wat speeksel in via een speciaal kanaaltje in de snuit. Dat spuug bevat stoffen die de stolling tegengaan. Voor de luis bittere noodzaak, anders zou het nauwe kanaaltje waardoor hij het bloed opzuigt direct verstoppen. Voor ons is juist het speeksel minder prettig: dat is wat de jeuk veroorzaakt.

Zes maaltijden per dag

Een maaltijd is in verhouding fors: soms zoveel als het eigen gewicht van de luis. Voor een mens stelt het bloedverlies van een tiende milligram niks voor. De bloedbank tapt per keer vijf miljoen keer zoveel af. Wel steken luizen veel vaker dan andere dieren die van bloed leven. Doorgaans zit er tussen twee maaltijden zo'n vier uur. Langer dan een uur of zes vasten houdt een luis niet vol. Dan raakt hij ondervoed en uitgedroogd.

Met het bloed krijgt een luis veel water binnen, maar dankzij de sterke verdamping speelt hij het klaar om zijn ontlasting droog te houden. Voor ons is dat wel zo prettig, van de droge luizenpoepjes hebben we weinig last. Deze aanpassing is in het belang van de luis zelf: hij moet zijn eigen omgeving niet vervuilen en irritatie van zijn gastheer voorkomen. Daarvoor levert hij wel een offer, want luizen kunnen de sterke verdamping moeilijk stoppen. In de vochtige omgeving tussen de haren met altijd drinken binnen bereik is dat geen probleem, daarbuiten wel.

Het werk van een erg productieve luizenmoeder: twee neten aan één haar.

Opgroeien en voortplanten

Bij de hoofdluis zijn de vrouwtjes iets langer en dikker dan de mannetjes. Het verschil tussen de geslachtsorganen is alleen met een sterke loep te zien: het achtereind van het vrouwtje heeft twee puntjes met een V-vormig spleetje, het mannetje heeft een centraal dopje. De penis zit ingetrokken en is zelden te zien. Duidelijker is het verschil te zien aan de poten: de klauwtjes van de voorpoten van het mannetje zijn forser dan die aan zijn andere poten.

De paring

De mannetjes zijn ondernemender dan de vrouwtjes. Als ze niet rusten, paren of eten, zijn ze op zoek naar een partner. Komt een luizenman een luizenvrouw tegen, dan benadert hij haar van achteren. Vervolgens kruipt hij – nogal ongebruikelijk in het dierenrijk – onder haar en krult zijn achterlijf omhoog. De grotere klauwtjes van zijn voorpoten haakt hij om haar achterpoten. Vervolgens stulpt zijn penis uit en vindt de paring plaats.

Een wilde vrijpartij is het niet, maar het paar neemt er wel de tijd voor. Gemiddeld blijven ze een half uur gekoppeld. Soms neemt het vrouwtje tijdens de paring nog een maaltje bloed. Het loskoppelen lukt alleen als beide partners meewerken. Mocht een van de twee toevallig tijdens de paring overlijden, dan raken ze nooit meer van elkaar verlost. In dat geval zal de kersverse weduwe of weduwnaar het ook niet lang meer maken. Maar meestal gaat het goed en heeft het vrouwtje weer een voorraadje sperma voor een aantal dagen.

De leg

Een luizeneitje is in verhouding erg groot: een tonnetje van 0,8 mm lang en 0,3 mm breed. Genoeg om één vijfde van het achterlijf van het vrouwtje te vullen. En dan te bedenken dat er soms wel drie van zulke eitjes in de eileiders aanwezig zijn. Ze worden een voor een gelegd, met tussenpozen van een paar uur. Vijf per dag is een goed gemiddelde. De moeder kiest de legplek met zorg. Ze neemt positie op een haar, een paar millimeter boven de hoofdhuid met de kop richting haarpunt. Terwijl ze het ei uitperst, maakt ze een soort secondelijm aan. Het druppeltje vloeit om de basis van het eitje en

De levensloop van een hoofdluis

De snelheid van de ontwikkeling hangt af van de temperatuur.

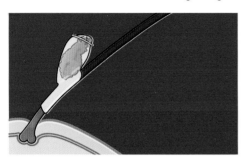

DAG 1. Het eitje (neet) wordt aan een hoofdhaar bevestigd.

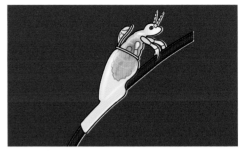

DAG 8. De jonge nimf (± 1 mm) komt uit het eitje en kruipt de haar op.

DAG 11. De gegroeide nimf vervelt voor de eerste keer.

DAG 14. Tweede vervelling. Weer een maatje groter.

DAG 17. De laatste vervelling: de luis is volwassen.

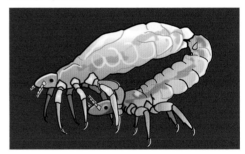

DAG 17. Mannetjes weten een nieuw volwassen vrouwtje snel te vinden.

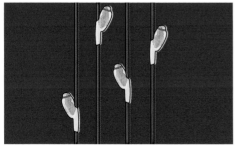

DAG 18. Het vrouwtje legt dagelijks gemiddeld vijf eitjes.

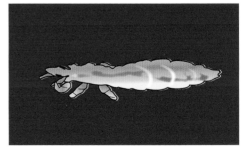

DAG 48. Een luizenleven duurt niet veel langer dan een maand.

rond de haar en hardt direct uit. Zo wordt om de haar een kokertje gevormd met een eierdopje. De neet zit. En stevig ook: de lijm is waterbestendig en neten blijven soms nog maanden na het uitkomen aan de haar gehecht.

Uit het ei

Het eitje wordt niet voor niks dicht bij de hoofdhuid gelegd: het mensenhoofd werkt als broedmachine. De warmte en de vochtige lucht zorgen dat zich in een week tijd een luisje kan ontwikkelen. Zit de neet op een koeler plekje dan duurt het langer, maar sneller kan ook. Als het zover is, scheurt de bovenkant van het eitje open. Vervolgens neemt het luisje met zijn mond lucht op waarmee hij even later via zijn darm winden laat. Ingenieus, want door de luchtdruk wordt de jonge luis vanzelf naar buiten bedrukt. Zijn kop drukt een deksel omhoog en zijn geboortehaar ligt aan zijn poten: het jong klimt er direct in.

Groeiende nimf

Anders dan bij vliegen, vlinders en veel andere insecten lijkt een luizenjong al direct op zijn ouders. In zo'n geval heb je het niet over een larf maar over een nimf. De nimf kan al direct uit de voeten met zijn zes haakpootjes en weet ook al snel waar hij bloed kan zuigen. Wel is deze jonge nimf een stuk kleiner dan een volwassen hoofdluis. Logisch, want een neet is nauwelijks een millimeter lang en dat is ook de lengte van een pasgeboren luis.

Maar het luisje groeit snel en na een dag of drie is het tijd voor een nieuwe huid. De nimf verstijft, blijft een paar uur zitten en dan barst de huid open. Na een uurtje is de vernieuwde nimf helemaal uit de oude huid gekropen. Hij is nog bleek, week en kwetsbaar tot de nieuwe huid is uitgehard. Na nogmaals drie dagen herhaalt het verhaal zich en drie dagen daarna voor de laatste keer: dan kruipt er een volwassen luis uit de laatste nimfenhuid. Klaar om te paren, wat vaak ook nog diezelfde dag gebeurt.

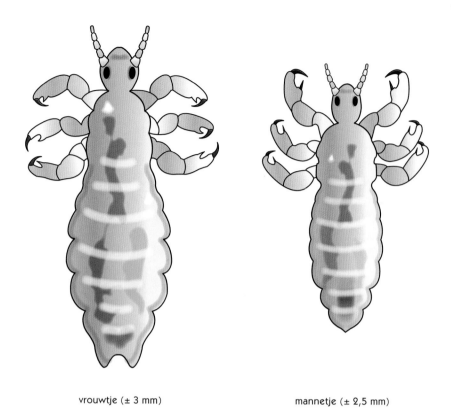

vrouwtje (± 3 mm)   mannetje (± 2,5 mm)

Gevaarlijk leven

Een luizenleven is niet zo onbekommerd als het klinkt. Tijdens de ontwikkeling kan er van alles misgaan. Niet alle eitjes zijn levensvatbaar, sommige nimfen sterven bij het verlaten van het ei en bij droogte is het vervellen een riskante gebeurtenis. En natuurlijk kan een luizenkam het leven van een luis volledig op zijn kop zetten. Zelfs als alles goed gaat duurt het volwassen leven van een hoofdluis zelden langer dan een paar weken. Een luis van anderhalve maand is hoogbejaard.

Zo'n luizenoma laat zo'n honderd nakomelingen na. Dat klinkt veel en dat is het natuurlijk ook, maar voor een insect is het opmerkelijk weinig. Daar staat tegenover dat luizen erg snel volwassen worden. Alles bij elkaar kan een ongestoorde luizenpopulatie op een hoofd daardoor snel groeien.

In beweging

Het grootste deel van hun bestaan zitten luizen te niksen. Van buitenaf gezien dan, want inwendig zijn ze druk met belangrijke levenstaken als groei (de nimfen), spijsvertering, herstel en het produceren van eitjes (de vrouwtjes). Als het etenstijd is – zo eens in de drie uur – hoeven ze zich niet ver te verplaatsen. Om een partner te zoeken moeten ze soms wel op pad. Hierbij is het mannetje de actieveling: voor hem is het zaak om rivalen voor te zijn. De vrouwtjes zijn niet kritisch, ze zien wel wie er langskomt en besteden hun energie liever aan andere zaken. Bij gevaar grijpen luizen zich meestal extra goed vast, maar soms slaan ze op de vlucht. Ze kruipen dan meestal richting hoofdhuid en ontvluchten het licht. Soms is de reden om in beweging te komen een vers hoofd dat zich aandient. Maar al met al is het zelfs op een druk bevolkt hoofd geen gekrioel. De jeuk die luizen veroorzaken komt van de steken, niet van de kriebelpootjes.

FABEL - Hoofdluizen brengen ziektes over.

FEIT - De beten van hoofdluizen kunnen jeuken. Krabben kan dan ontstekingen en zelfs eczeem veroorzaken. Maar anders dan de kleerluis brengt de hoofdluis zeker in onze streken geen ziektes over.

Hangen en klimmen

Als ze zitten – of beter: hangen – hebben ze alle zes de poten om een haar gehaakt. Dankzij de haak en 'duim' is de grip erg stevig. Een hoofdluis laat zich niet zomaar afschudden. De ruststand is met de kop richting hoofdhuid, dus voor ons gevoel vaak ondersteboven.

Springen of vliegen kunnen luizen niet, ze doen alles te voet. Bij het lopen – of beter: klimmen – blijven er steeds minstens drie poten aangehaakt. Ze klimmen in 'telgang': afwisselend de linker en de rechter poten. Daardoor bewegen ze een beetje schommelend. Als het moet kunnen ze een snelheid van 40 cm per minuut bereiken. Een luis kan even snel in zijn achteruit als in zijn vooruit. Hij hoeft zich dus niet om te keren als hij de andere kant op wil. Dwars op de haren klimmen gaat minder snel. Ook dan blijven ze meestal met hun kop richting hoofdhuid, dus met hun lichaam evenwijdig aan het haar. Ze lopen dus zijwaarts als een krab, steeds overpakkend naar een volgende bundel haren.

Overstappen

De grootste onderneming in een luizenleven is een verhuizing. De meeste luizen maken dit nooit mee. De mannetjes zijn er het meest op gespitst. Zij zijn de kolonisten die graag het risico nemen van een overstap. Mochten er vrouwtjes volgen, dan heeft zo'n mannetje het rijk alleen. Hoofdluizen hebben een goede neus voor zo'n buitenkans. Met hun gevoelige zintuigen, die voornamelijk op de antennes zitten, merken ze het snel als er een ander mensenhoofd binnen bereik komt. Maar de overstap is alleen mogelijk als de haren contact maken. Springen is nu eenmaal niet voor een luis weggelegd en zich laten vallen doet een gezonde luis ook niet.

FABEL - Van een kat kun je luizen krijgen.

FEIT - Kattenluizen zijn kieskeurig: mensenbloed lusten ze niet. Andersom heeft onze hoofdluis niks bij een kat te zoeken. Kattenvlooien zijn heel wat minder kritisch, die lusten ook bloed van baasjes.

Afstappen

Als er geen overstap naar een ander hoofd mogelijk is, zal geen luis vrijwillig een hoofd verlaten. Luizen die spontaan van een hoofd vallen, zijn doorgaans verzwakt en na een val ten dode opgeschreven. De reactie van een gezonde luis die schipbreuk lijdt is altijd: omhoog klimmen. Dus vanuit een kraag weet hij de weg snel weer terug te vinden. Zeker met lange haren komt hij wel weer aan boord. Vanaf de grond kan de luis het wel vergeten.

Luizen te lijf gaan

De tijd dat de zuster van de GGD met DDT en tondeuse langs de scholen ging om de luizen te bestrijden ligt een halve eeuw achter ons. Maar het werkte wel. Tegenwoordig lijkt het of niks meer werkt. Wat doet die levende luis in haar dat gisteren met luizenshampoo is gewassen? En is die strenge kam van vijftien euro echt beter dan dat kekke kammetje van één vijftig? Het ergste is dat iedereen en niemand het lijkt te weten. De tips vliegen je om de oren en spreken elkaar tegen, zijn onuitvoerbaar of ronduit smerig.

Wat is kaf en wat is koren? Daar is gelukkig wel iets zinnigs over te zeggen. Er is de afgelopen jaren ook wel wat gebeurd op luizengebied. Er zijn nieuwe middelen en nieuwe methoden ontwikkeld waarmee we luizen een stuk efficiënter kunnen bestrijden. Ook is er serieus gekeken wat werkt en wat niet. Onzekerheden zijn er nog steeds, maar er zijn wel meer zekerheden over wat beslist niet werkt. Het scheelt een hoop als je dat niet meer hoeft te doen. Daarmee krijg je meer tijd om iets te doen wat zeker helpt: kammen, kammen en nog eens kammen. Maar dan wel op de juiste manier. Dat en meer staat in dit strijdlustige hoofdstuk.

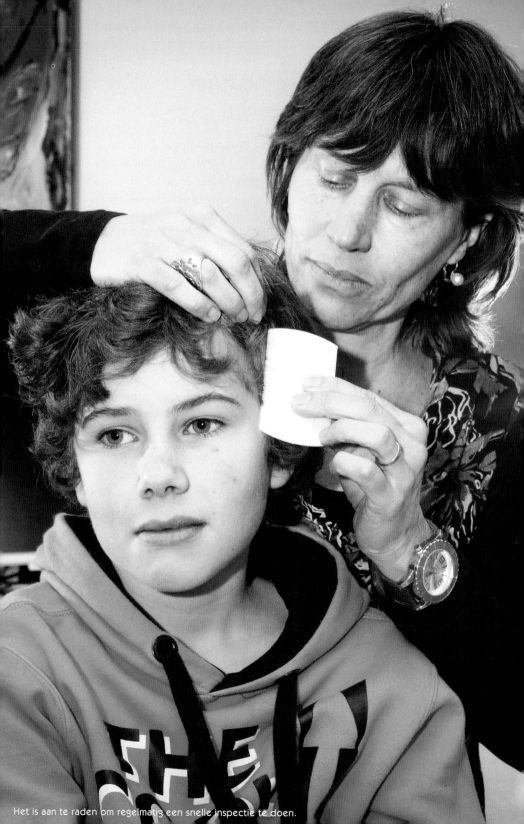

Het is aan te raden om regelmatig een snelle inspectie te doen.

Zoeken en vinden

Iedereen kan luizen krijgen, maar bij kinderen is de kans aanzienlijk groter dan bij volwassenen. En kleuters hebben weer vaker luizen dan pubers. Dat heeft alles te maken met het intensievere contact dat spelende kleine kinderen hebben. Naast leeftijd is haartype een factor. In sterk krullend haar voelen luizen zich minder goed thuis. En vanwege de makkelijke overstap komen ze eerder terecht op een hoofd met lange haren. Samenvattend: de meest waarschijnlijke luizenbol is een klein meisje met lang, steil haar. Maar de overstap naar een knuffelende vader, moeder of ander gezinslid is zo gemaakt. Ook een volwassen bruine krullenbol moet alert blijven.

Snelle inspectie

Een aanleiding om extra alert te zijn is een luizenmelding van school, crèche of club. Sommige scholen geven briefjes mee, andere melden het op prikbord, website of per mail. En anders gaat de tamtam wel via het schoolplein. Maar ook zonder luizenalarm moet je bedacht zijn op luizen. Jeuk is een mogelijke aanwijzing. Zit uw kind opvallend vaak met de handen in het haar of heeft u zelf de kriebels, dan is het tijd voor een inspectie. Overigens is het sowieso verstandig wekelijks te controleren, ook zonder vermoeden.

Gewoon tussen de haren kijken is niet erg betrouwbaar. Uit een onderzoek bleek dat matig geoefende pluizers in driekwart van de gevallen hoofden onterecht luizenvrij verklaren. Maar omdat de drempel laag is, kun je het wel vaak doen, wat de trefkans weer vergroot. Het scheelt al veel als je weet waar je moet kijken. De favoriete luizenplekjes zijn: in de nek, achter de oren en onder de pony. Dat zijn ook plekken die makkelijk even te inspecteren zijn als uw kind bijvoorbeeld televisie kijkt. Buig het haar uit elkaar en kijk zo dicht mogelijk op de hoofdhuid. Goed licht is een absolute noodzaak. Leesbrildragers kunnen in dit geval beslist niet zonder en met een loep gaat het nog beter.

Luizen en neten spotten

Beginnende pluizers hebben nog geen goed zoekbeeld. Voor wie ze nog nooit gezien heeft: luizen zijn echt klein maar zelfs de kleinste zijn

Volgroeide luizen op ware grootte. De jongste nimfen zijn drie keer zo klein.

wel zichtbaar met het blote oog. Tussen haren blijft het toch zelfs voor een geoefend oog moeilijk. Met hun deels doorschijnende lijf gaan luizen makkelijk in hun omgeving op. Daarbij komt dat ze het doorhebben als er geplozen wordt. In dat geval vluchten ze richting hoofdhuid en zijn ze nog moeilijker te vinden. Aan de andere kant kunnen ze zich zo ook verraden: zie je iets tussen de haren bewegen, dan is het raak. Heel snel zijn luizen niet, dus controleer in zo'n geval het plekje nog eens goed. Wacht eventueel even met pluizen, de kans is dan groter dat de luis weer uit zijn dekking komt.

Makkelijker dan de luizen zelf zijn de eitjes (neten) te vinden. Beginners gaan nog wel eens de mist in door onschuldige snippertjes roos voor een neet aan te zien, maar als je er eenmaal oog voor hebt, pik je ze er zeker uit. Het grote verschil is dat een neet echt muurvast aan een haar zit. De vorm en manier waarop het luizenei tegen de haar staat – schuin omhoog als een knop tegen een tak – is ook onmiskenbaar. Isoleer in dat geval de haar en trek hem uit.

De netenmeter
Geen neten zonder luizen. Toch is het vinden van een neet niet altijd reden voor paniek. Het kan namelijk goed om een oud eitje gaan. Sterker nog: die kans is groot. De neten zitten zo goed vastgehecht dat ook een lege of dode neet nog maandenlang kan blijven zitten. Een goede indicatie van de leeftijd kunt u krijgen met behulp van de 'netenmeter' achter op dit boek. Leg de haar met de haarwortel aan de onderkant strak langs de meetlat. Het principe is eenvoudig: een luis hecht de neet enkele millimeters boven de hoofdhuid. Een haar groeit vanuit de wortel en zo groeit de neet mee. Hoe verder van de haarwortel, hoe ouder de neet. Een neet in de rode zone is vers en bevat mogelijk nog een luis. Reden voor alarm dus. In het oranje gebied is de neet waarschijnlijk al wel uitgekomen maar loopt de luis nog rond. Bij oudere neten gaat het vaak om een voormalige luizenbesmetting. Via de netenmeter is dat dan te achterhalen. In dat geval is het dus loos alarm. Een oude neet is overigens wel een signaal dat er niet goed gekamd is, dus nog eens goed doorkammen kan geen kwaad.

De netenmeter is niet feilloos. Als haar plat op de schedel ligt, kan het gebeuren dat een luis het eitje verder van de haarwortel bevestigt. Ook is de groeisnelheid van haar niet bij alle mensen hetzelfde. De netenmeter is gebaseerd op kinderen (ruim een centimeter per maand), bij oudere mensen groeit haar minder snel. Maar in de meeste gevallen klopt de meter aardig.

Met de kam op jacht

Kammen is niet alleen een goede methode om luizen en neten te bestrijden, maar ook om ze te vinden. De drempel is wat hoger dan bij alleen pluizen, maar de betrouwbaarheid is aanzienlijk groter. Neem een goed verlichte tafel of bureau, liefst met een glad, lichtgekleurd blad. Een groot, wit papier als ondergrond is ook goed. Buig het hoofd over het tafelblad naar voren. Dan rustig vanaf de nek kammen, waarbij de kam zo lang mogelijk contact blijft houden met de hoofdhuid. Tik daarna de kam op het tafelblad uit. Kijk ook regelmatig tussen de tanden van de kam, eventueel met een loep.

FABEL - Luizen houden van een schoon hoofd.

FEIT - Het maakt de luizen weinig uit: ze voelen zich op een ongewassen hoofd van een Zuid-Amerikaans sloppenkind even goed thuis als op een frisgewassen Hollandse bol.

Nat kammen (zie bladzijde 34) is nog een stuk beter dan droog kammen. In dat geval blijven de luizen zitten waar ze zitten en is de kans op ontsnappen veel kleiner. Als uitgekamde luizen op de lichte ondergrond vallen, zullen ze proberen te vluchten. Door hun beweging verraden zelfs de kleinste luisjes zich. Losgekamde neten zijn met wat oefening ook goed te herkennen, maar geven minder uitsluitsel. Probeer in dat geval een haar met neet te vinden en gebruik de netenmeter.

Luizen gevonden? Dan moet de inspectie overgaan in bestrijding. Als u al nat aan het kammen bent kan dat in één moeite door. Controleer nu zeker alle huisgenoten en waarschuw de school, vriendjes en alle andere 'contactpersonen'.

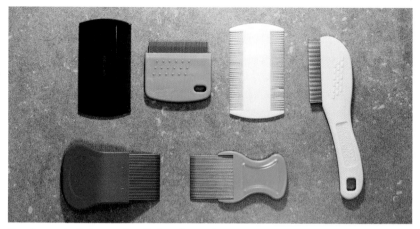

Goedkope plastic kammetjes zijn handig om droog kammend luizen te zoeken maar neten en de kleinste nimfen glippen vaak tussen de tanden door. Een goede metalen kam neemt alles mee.

Nat kammen met conditioner is veel effectiever dan de droge methode.

Kammen en kammen

Kammen is handig om luizen te vinden maar echt noodzakelijk om ze kwijt te raken. Ook als je gebruikmaakt van luizenshampoo blijft het nodig. Voor een belangrijk deel hangt de effectiviteit af van de kwaliteit van de kam, maar minstens even belangrijk is de techniek, zorgvuldigheid en vooral het doorzettingsvermogen van de behandelaar. En overtuigingskracht, want stijfkoppen laten zich lastig kammen. Om met dat laatste te beginnen: zie het als een wedstrijd. Of beter: een toernooi, want pas na twee weken zal de winnaar bekend zijn.

De luizen veroorzaken de last, maar de neten zijn het lastigst te verwijderen. Ze zijn kleiner dan de luizen en zitten goed vastgehecht. Bovendien trekken neten zich minder van insectengif aan dan luizen.

Kammen kopen

Het belangrijkste wapen in de strijd is de kam. Een zakkam is ongeschikt om luizen te verwijderen en heeft op neten helemaal geen vat, maar kan toch nuttig zijn bij een vollere haardos. Geef die eerst een beurt om straks het echte werk draaglijker te maken. Voor dat echte werk zijn er allerlei luizen- en netenkammen te koop. Het verschil zit in de afstand tussen de tanden, het materiaal en niet te vergeten: de prijs. Vooral bij plastic kammen is er nogal wat verschil in kwaliteit. Voel voor het kopen of de tanden stevig genoeg zijn. Bij metalen kammen is tandenslapte nooit een probleem. Er zijn verschillende merken in de handel. De bekendste is de Nisska-kam. Verder zijn er hightech producten zoals een kruimeldief-kam die de luizen opzuigt en een elektrische die de luizen en neten elektrocuteert. Dat klinkt allemaal mooier dan het is. Of het beter werkt dan een standaard netenkam is de vraag en zeker is dat ze lastiger te hanteren zijn, duurder en ongeschikt om nat mee te kammen. Als je moet kiezen, doe dan maar gewoon.

Bij voorkeur nat

Hoewel het voor een volwassene of een groter kind mogelijk is om zichzelf te kammen, is het beter om het te laten doen. Een ander heeft immers het beste zicht en kan beter in de gaten houden of

Nat-kammen stap voor stap

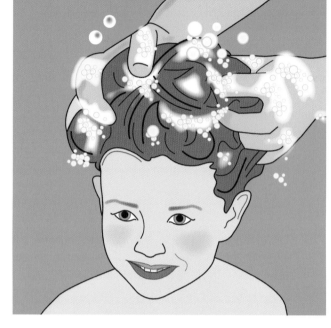

1. Haar wassen met gewone shampoo (of luizenshampoo volgens gebruiksaanwijzing) en uitspoelen.

2. Conditioner inbrengen. Klitten uitkammen met een gewone kam.

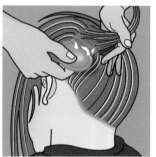

3. Haar pluk voor pluk uit-kammen met een luizenkam. Steeds vanaf de hoofdhuid naar de haartop.

4. Tussendoor kam op een tissue afvegen en controleren op luizen en neten.

5. Uitgekamd haar met een clip scheiden van de rest.

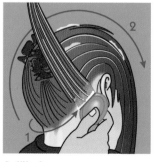

6. Werk van oor naar oor en vervolgens van achterhoofd naar pony.

7. Conditioner uitspoelen.

er geen stukje haar of hoofdhuid wordt overgeslagen. Er zijn twee methoden om luizen te kammen: droog en nat. Droog kun je altijd en overal doen. Voor een inspectie op school is het meestal de enige mogelijkheid en de methode is op bladzijde 31 beschreven. Nat kammen kan goed na een douchebeurt of bad. Typisch iets voor thuis dus. De natte methode is een stuk effectiever dan de droge. Wil je echt van de luizen af, dan kun je er eigenlijk niet omheen.

De methode werkt pas echt goed als je voor het kammen conditioner (crèmespoeling) gebruikt. Ten eerste kamt het makkelijker maar nog belangrijker: de luizen raken tijdelijk in een soort shock. Pas na een minuut of twintig komen ze weer in beweging. Bovendien hebben hun haakpootjes door de conditioner minder grip. Als een wasbeurt niet uitkomt, breng de conditioner dan in droog haar in. Overigens moet het na afloop ook weer uitgespoeld worden. Al met al blijft de badkamer dus de ideale locatie voor de hele behandeling.

Van oor tot oor

Conditioner inbrengen en kammen kunt u het makkelijkst aan de wastafel doen. Zet de patiënt op een krukje en geef – zeker bij een jong kind – een washandje om de ogen te beschermen. Masseer zorgvuldig de conditioner in, van hoofdhuid tot aan de top van het haar. Schuimvorming is geen probleem. Kam vervolgens met een gewone kam eventuele klitten uit. Zeker bij stug, lang en krullend haar is dat aan te bevelen. Het hoofd tot boven de wastafel buigen en nu begint het echte werk. Begin met het haar in de nek achter een oor. Neem een streng haar en trek de kam er vanaf de hoofdhuid doorheen tot het einde. Veeg de uitgekamde conditioner af aan een tissue en controleer of er luizen in zitten. Herhaal dit nog een paar keer bij dezelfde streng. Zeker bij lang haar is het handig om het uitgekamde haar van de rest te isoleren met een haarclip. Ga door met de volgende pluk haar en werk zo door naar het andere oor. Mochten neten lastig loskomen: deppen met azijn helpt om de netenlijm op te lossen.

Met het achterhoofd is de gevaarlijkste zone achter de rug. De methode met de clips voorkomt dubbel werk en vooral: dat er iets wordt overgeslagen. Spoel tot slot het haar uit, onder de douche of onder de kraan in de wastafel. De kam na afloop schoonmaken met water, zeep en zo nodig een nagelborsteltje. De kam uitkoken of ontsmetten met alcohol is overdreven. Hoe de uitgekamde luizen weggewerkt worden – ritueel of discreet – mag ieder voor zichzelf bepalen.

Twee weken volhouden

In het begin is nat-kammen een onderneming, maar naarmate de routine komt, gaat het steeds makkelijker en efficiënter. Toch, hoe grondig je ook tewerk gaat, er glippen altijd wel luizen en zeker nimfen en neten tussen de mazen van de kam. Het is daarom belangrijk de behandeling vol te houden. De norm is: twee weken. En als het even kan: elke dag. Dat is ook wat het RIVM aanraadt. Elke dag overslaan vergroot de kans dat je na twee weken toch nog met luizen zit. En kleine luisjes worden snel groot en zijn al na anderhalve week aan de leg. Zet de laatste dag op de kalender en controleer tegen het eind van de veldtocht extra goed of er nog luizen in de uitgekamde conditioner zitten. Als dat zo is, ga dan uiteraard door. Anders is er reden voor een feestje. Maar juich niet te vroeg en verslap niet. Blijf wekelijks controleren en pak de strijdbijl weer op zodra de luis zijn kop opsteekt.

FABEL - De meeste luizenshampoos werken helemaal niet.

FEIT - Dat er na het wassen met luizenshampoo toch levende luizen worden gevonden komt in de meeste gevallen niet door resistentie tegen malathion en permetrine, maar door onzorgvuldigheid. Luizen die resistent zijn tegen dimeticon bestaan sowieso niet.

Luizen doden

Het doden van uitgekamde luizen is makkelijk: eenmaal van een hoofd zullen ze vanzelf versterven. Dat ze naar een hoofd zullen terugkeren is vrijwel uitgesloten, maar ze op de vloer of tafel laten rondkruipen is natuurlijk ook geen optie. Afhankelijk van de eigen voorkeur kunnen ze de wc, vuilnisbak of kachel in of voor een snellere dood geplet worden tussen de duimnagels.

Pindakaaskop

In hun eigen omgeving breng je hoofdluizen heel wat minder makkelijk om zeep. In ieder geval helpt wassen met gewone shampoo niet. Echt prettig vinden hoofdluizen een wasbeurt niet, maar ze klemmen zich vast en zitten hun tijd uit. Mogelijk zal er een enkeling sneuvelen, maar om ze te bestrijden zijn zwaardere middelen nodig. Er zijn verschillende soorten luizenshampoo te koop en nog veel meer tips voor huismiddeltjes.

Om met die middeltjes te beginnen: geloof er niet in en begin er niet aan. In ieder geval baat het niet om mayonaise of pindakaas in het haar van je kind te smeren, of het schaadt mag ieder zelf bepalen. Ook zijn niet alle huismiddeltjes (petroleum!) onschuldig. Dat gaat ook op voor alternatieve middelen, vaak op plantaardige basis. De werkzaamheid daarvan is dubieus en de risico's voor de gebruiker zijn niet altijd bekend. Plantaardig is niet synoniem met ongevaarlijk.

Shampoo met insecticide

Insecticiden lijken de meest efficiënte middelen om luizen te bestrijden. Een feit is dat kort na de oorlog luizen dankzij de DDT een stuk minder voorkwamen dan nu. In luizenshampoos worden nu andere chemicaliën toegepast. De meest gebruikte zijn malathion en permetrine. Deze middelen tasten het zenuwstelsel van het insect aan. Het zenuwstelsel van mensen laten ze intact maar er kunnen wel bijwerkingen optreden. Zwangere vrouwen en baby's jonger dan een half jaar mogen deze middelen in ieder geval niet gebruiken. De meeste bezwaren kleven aan malathion: dat is ook nog eens brandbaar en de werking wordt teniet gedaan door zwembadchloor.

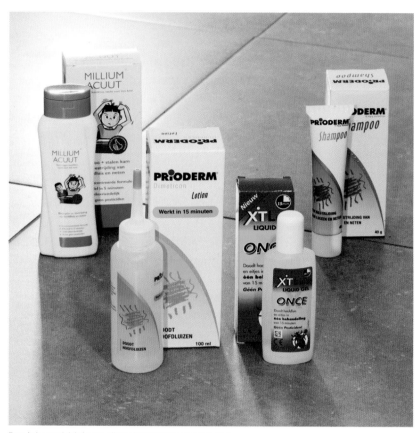

Een luizenmiddel met dimeticon heeft de voorkeur.

Waarschijnlijk het grootste bezwaar tegen gifshampoo is dat luizen er steeds ongevoeliger voor worden. In Engeland en Australië zijn inmiddels alle hoofdluizen resistent tegen permetrine.

Shampoo met siliconen

Een vrij nieuw en veelbelovend middel is dimeticon, een siliconenachtige stof. De werking is niet chemisch maar fysisch: de stof vormt een dunne film rond de luizen en neten. Ze worden als het ware ingepakt waardoor ze stikken. Uit proeven blijkt dat dimeticon-shampoo goed werkt. Ook belangrijk: de stof is voor mensen onschadelijk. Bij bepaalde medische toepassingen wordt dimeticon zelfs inwendig gebruikt. Bovendien kunnen luizen tegen deze stof geen resistentie opbouwen. Zoals het er nu naar uitziet lijkt dit dus het beste middel.

Maar net als met de andere luizenshampoos zal kammen toch nodig blijven om helemaal van de luizen af te komen. Een groot deel van de neten zal de dans zeker ontspringen. De efficiëntie hangt voor een groot deel af van de zorgvuldigheid van de gebruiker. Volg strikt de gebruiksaanwijzing. Als je de keuze hebt tussen twintig minuten luizenshampoo laten intrekken en twintig minuten nat kammen: dat laatste levert waarschijnlijk meer op. En het is zeker goedkoper.

Doodblazen

Als je weet hoe gevoelig luizen voor uitdroging zijn, is het verbazingwekkend dat het nooit eerder is verzonnen om luizen met droge lucht te lijf te gaan. Helaas werkt het niet met een gewone haardroger: die is te heet om langer dan een paar seconden op één plek te houden en blaast niet krachtig

Alleen nog voor professionals: de LouseBuster. Luizenbestrijding met hete, droge lucht.

genoeg. Maar een Amerikaans apparaat met veelzeggende naam LouseBuster doet het uitstekend. Het principe is dat een krachtige luchtstroom van ruim 55°C gedurende minstens dertig seconden op elk plekje van de hoofdhuid wordt gericht. De efficiëntie is hoog: in een half uur worden bijna alle luizen gedood en zijn ook de meeste neten in de kiem gesmoord. Bovendien is een Buster-blaasbeurt niet onaangenaam en te combineren met sommen maken of een boekje lezen.

Het verantwoord bedienen van de LouseBuster vereist een training van enkele dagen en ook de prijs maakt het geen ding voor thuis. Maar de ontwikkelingen gaan snel en er is zelfs een initiatief voor een landelijk netwerk van Luizenklinieken die op basis van een abonnement per leerling een school luizenvrij houden. En misschien gaan scholen zelf wel een apparaat aanschaffen en een staflid opleiden. Iets om in de gaten te houden.

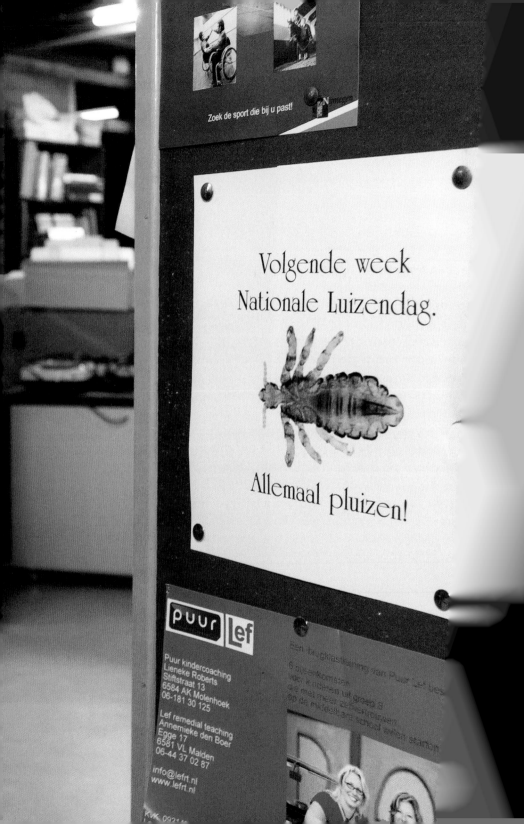

Luizen van het lijf houden

Voorkomen is beter dan genezen, dat geldt ook bij hoofdluis. Zeker als je voor de derde keer in een jaar de strijd moet aangaan. Waar komen ze elke keer weer vandaan? Dat antwoord staat verderop in dit hoofdstuk maar geven we ook nu alvast weg: hoofdluizen komen van hoofden. Ondanks alle verdachtmakingen gaan de knuffelhoek en de schoolkapstok vrijuit.

Met die kennis wordt het voorkomen van luis een stuk makkelijker. Kookwas, vriezers, luizencapes en schoonmaakstress hoeven niet meer. Makkelijker maar nog steeds niet echt eenvoudig. Vooral bij kinderen kun je niet altijd voorkomen dat ze met een luizenbol in contact komen. Het is wel de moeite waard om er bewust mee bezig te zijn. Om zin en onzin te scheiden en risico's te verkleinen zonder jezelf en elkaar gek te maken. De sleutelwoorden zijn: openheid en afstemming.

Een overstapmoment voor reislustige luizen.

Van hoofd naar hoofd

Luizen zijn geen springers en kruipen het liefst zo dicht mogelijk op de hoofdhuid. Licht en droogte mijden ze. Maar als alle luizen op één hoofd zouden blijven hangen, zou de soort nooit de wereld veroverd hebben. Blijkbaar hebben hoofdluizen ook een drang om te verkassen. Mannetjes en jonge vrouwtjes zijn het reislustigst. En ze voelen feilloos aan wanneer zich de kans aandient om veilig over te stappen.

Overstapmomenten

Overlopen lukt een hoofdluis alleen als het haar van zijn gastheer direct contact maakt met het haar van een ander. Een vluchtige verjaardagszoen is daarvoor te kort, maar een paar seconden kan al wel genoeg zijn. In de praktijk vinden zulke contactmomenten veelvuldig plaats tussen kinderen op een crèche, in een klaslokaal of thuis. Ook ouders en leerkrachten hebben regelmatig haarcontact met kinderen. Vaker dan ze zelf doorhebben. Even op schoot, voorover leunen om met een som te helpen, gezellig op het voorzitje van de fiets. Voor een hoofdluis met reiskriebels zijn dat allemaal mooie overstapmomenten.

FABEL - Eenmaal op de middelbare school hebben kinderen geen last meer van hoofdluis.

FEIT - Was het maar waar. Zeker meiden die gezellig dicht bij elkaar zitten kunnen hoofdluis aan elkaar overdragen. Op middelbare scholen worden leerlingen niet meer gecontroleerd op hoofdluis, dus daar komt niet zo snel een luizenalarm vandaan. Reden om pubers thuis juist extra te controleren. Op luis dan.

Afstand houden

Het is niet mogelijk en ook niet wenselijk om al het contact te vermijden. Maar als je weet dat iemand hoofdluis heeft, kun je er wel rekening mee houden. Dat kan zonder al te veel ophef. Openheid is in ieder geval de sleutel. Benader het hebben van hoofdluis niet anders dan het hebben van een stevige verkoudheid.

Het best is als de luizendrager zelf anticipeert door hoofdcontact bewust te vermijden en uit te leggen waarom hij of zij tijdelijk wat afstandelijker moet zijn.

Van kleine kinderen kun je dat moeilijk verlangen. Hoe jonger het kind, hoe groter de rol van de leerkracht en ouders zal moeten zijn. Zij hebben in ieder geval de morele plicht om het te melden als er in een klas of gezin luizen zijn. Wees eerlijk maar ook weer niet te kwistig: waarschuw alleen als er daadwerkelijk levende luizen zijn gevonden. Oude neten zijn geen reden voor paniek. Te vaak loos alarm is ook gevaarlijk: dan worden de mensen resistent tegen luizenalarm. Gebruik in geval van twijfel de netenmeter (zie bladzijde 30). Bij kinderen met lang haar of met een weelderige bos kan het risico op haarcontact worden beperkt met een knotje, pet of hoofddoek.

FABEL - Heb je neten, dan heb je ook luizen.

FEIT - Neten zijn het bewijs dat je luizen hebt gehad maar niet dat je ze hebt. Dode en lege neten blijven nog maanden zitten. Een levende luis is het enige bewijs en de enige aanleiding voor een luizenbehandeling.

Verbannen of tolereren?

Enkele scholen, veel crèches en de meeste kappers hanteren een zerotolerancebeleid: kinderen met luizen of neten moeten direct naar huis en mogen pas weer terugkomen als ze luizenvrij zijn. Voor kinderen en ouders is dat op zijn minst vervelend en het is ook overdreven. Het effect kan zelfs negatief zijn. Het vooruitzicht op verbanning kan ertoe leiden dat de ontdekking van luizen door de ouders of kinderen wordt verzwegen. Juist openheid is belangrijk: dan kan de leider of leerkracht er rekening mee houden en de kinderen erop wijzen haarcontact te vermijden.

Een kind van school of crèche verwijderen heeft alleen zin als de eerste dag na de vakantie hoofdluis wordt geconstateerd. Zit een luizendrager al een paar dagen in de groep zonder dat iemand het wist, dan maken die paar uurtjes langer niet meer uit. Direct luizenalarm slaan is wel belangrijk.

Wat betreft de kapper: hoewel het onwaarschijnlijk is dat de luizen naar andere klanten zullen overlopen is het wel begrijpelijk dat die geen luizen in de zaak wil. Geef daarom een kind voor de knipbeurt een goede kambeurt. Dat kan geen kwaad, moet als het goed is toch al wekelijks en voorkomt ellende voor kind en kapper.

Preventieve middelen

De laatste tijd komen er steeds meer preventieve middelen op de markt. Deze sprays, gels en lotions bevatten stoffen die hoofdluizen afstoten (repellents). Dat klinkt ideaal en tegen muggen werken repellents goed. Maar als middel tegen hoofdluizen hebben ze weinig zin. Zelfs als in een laboratorium is aangetoond dat luizen een stof niet prettig vinden, hou je ze er in de praktijk niet mee van je hoofd. In het 'gunstigste' geval lopen ze wel sneller over naar een ander. Zulke middelen zorgen dus eerder voor een snellere verspreiding van hoofdluis dan voor preventie. Per saldo doen ze meer kwaad dan goed.

Het belangrijkste om te voorkomen dat luizen van het ene naar het andere hoofd overlopen is goede afstemming. Zorg dat in een klas of gezin iedereen de bestrijding tegelijk aanpakt. Iedereen luizenvrij houden is de beste manier om te zorgen dat dat zo blijft.

Via kragen en knuffels

Een luis gaat niet op een knuffel zitten omdat dat een strategische plek is om op een vers hoofd over te stappen. Zo slim is hij niet. Een hoofdluis is wel zo slim om alleen een hoofd te verlaten als er een ander hoofd binnen pootbereik is. De enkele keer dat een luis van een hoofd in de knuffelhoek belandt, is dat een ongelukje. De kans dat hij zo'n avontuur overleeft is minimaal. In een droge ruimte is hij binnen de kortste keren zo uitgedroogd dat hem de kracht ontbreekt om zich nog ergens aan vast te kunnen klampen. Onder normale omstandigheden is een hoofdluis als hij van een hoofd raakt binnen 24 uur dood. Natuurlijk kan er net op tijd een nieuw hoofd verschijnen, maar die kans is te verwaarlozen. Tijdens een weekend of een vakantie komt er geen enkel hoofd de school in. Die ene losgeslagen luis uit de knuffelhoek is dan dus zeker dood. Zonder kookwas en zonder vriezer.

> **FABEL** - De verkleedmand is een luizenkwekerij.
>
> **FEIT** - De kans dat een onhandige luis in een hoedje of kraag terechtkomt is minimaal en eenmaal in de verkleedmand zal hij snel verkommeren. Zich voortplanten doen hoofdluizen alleen op een hoofd.

De kapstok

Het lijkt logisch dat hoofdluizen zich via jassen aan de kapstok prima kunnen verspreiden. Om dat te voorkomen zijn er speciale luizencapes die vooral op basisscholen vaak worden gebruikt. Toch is het eigenlijk helemaal niet zo aannemelijk dat jassen een bron van luizen zouden zijn. Hoofdluizen zitten niet in kragen, mutsen of dassen. Daar hebben ze niks te zoeken. De enige mogelijkheid is dat er net een luis van een hoofd valt als een kind zijn jas uittrekt. Op de grond is de luis zeker reddeloos verloren. Hij moet zich dus tijdig aan de jas vastklampen. De natuurlijke reactie van een luis is in zo'n geval: omhoog klimmen. Zijwaarts naar de buurjas zit niet in zijn systeem. De

Luizencapes zijn de kosten en het gedoe niet waard.

grootste kans is dat deze luis op de jas van zijn oorspronkelijke baasje blijft. Tegen de tijd dat de jas weer wordt aangetrokken is deze luis waarschijnlijk te verzwakt om nog iets te kunnen doen. De capes zijn de kosten en het gedoe dan ook niet waard.

Of hoofdluis zich via hoedjes zou kunnen verspreiden is grondig onderzocht op een school in Australië. De leerlingen werden letterlijk uitgekamd, de hoedjes van hun schooluniform figuurlijk. Het eerste leverde een fraaie oogst van 5500 luizen op, het tweede welgeteld nul.

Losgeslagen neten

Neten zitten muurvast aan een haar. De enige kans dat een neet loskomt is als die haar uitvalt. Een mens heeft zo'n 100.000 haren op zijn hoofd en verliest er dagelijks enkele tientallen. De kans dat een haar met levensvatbare neet tussen de knuffels terechtkomt is kleiner dan één op duizend. Dan nog is het onwaarschijnlijk dat die neet uitkomt. Voor zijn ontwikkeling heeft een luizenembryo een hogere temperatuur en luchtvochtigheid nodig dan in een klaslokaal of huiskamer heerst. Alleen eitjes die al ver ontwikkeld zijn kunnen nog uitkomen. Maar de kans dat er dan net een hoofd binnen bereik is, is nihil. Kortom: losgeslagen neten vormen geen risico. Inzetten van de wasmachine en vriezer bij de luizenbestrijding is dan ook onzin.

FABEL - Luizenlakens altijd op 60 graden of heter wassen.

FEIT - In een bed van een luizenkind zit 's ochtends hoogstens een enkele luis en die redt het waarschijnlijk niet tot bedtijd. Mocht er ooit een levende luis in wasgoed belanden dan overleeft die ook een wasbeurt van 30 graden niet en anders sneuvelt hij wel aan de waslijn of in de droger. Een neet is taaier maar de kans op neten in wasgoed is nihil.

Hoofd- en bijzaken

In het gezin zijn er nog wel situaties denkbaar dat luizen via een omweg van het ene naar het andere hoofd gaan. Via een kussensloop, handdoek of kam bijvoorbeeld. Maar dan nog is de kans dat ze van hoofd naar hoofd lopen vele malen groter.

De neiging is groot om de knuffelhoek en kapstok de schuld te geven van de zoveelste uitbraak van luis. Maar letterlijk in ruim 99,9 % van de gevallen is de bron een hoofd, blijkt uit gedegen wetenschappelijk onderzoek. De conclusie van dit alles: laat je niet gek maken. Laat de knuffels lekker in de hoek, vermoei elkaar niet met kookwassen van alle overtrekjes en besteed de vrijgekomen tijd aan leukere of nuttigere zaken. Kammen bijvoorbeeld.

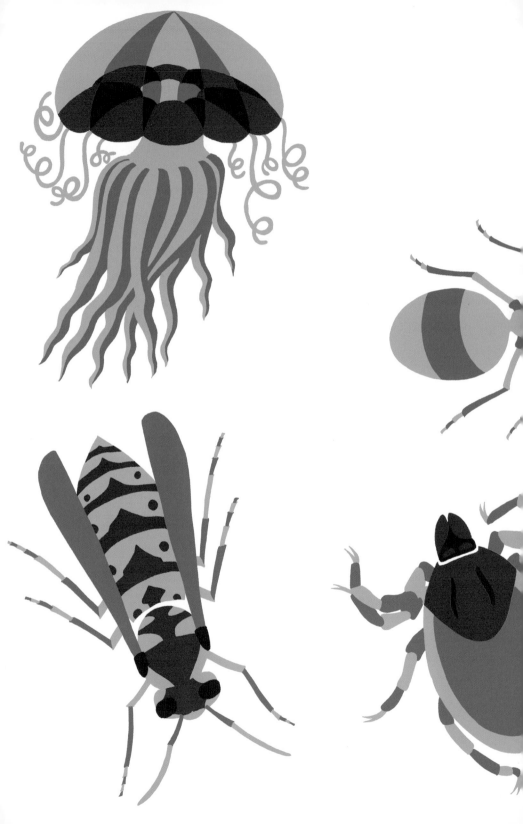

Andere steekbeesten

Stekers, bijters en zuigers

De steek van een hoofdluis stelt weinig voor. Dat kun je niet zeggen van de steken en beten van de meeste dieren die in het tweede deel van dit boek staan. Het is een selectie van stekers, bijters en zuigers waar je in Nederland en België mee te maken kunt krijgen. Of ze nou steken of bijten doet er niet veel toe, belangrijker is hoe je voorkomt dat ze het doen. Ook hier is de biologie van de dieren het vertrekpunt. Meestal wordt bij ieder dier een aantal verwante soorten behandeld en komen ook de *look-alikes* aan bod. Bij elk dier staan tips voor het voorkomen en behandelen van steken of beten. Voor het geval er na een steek directe actie nodig is staan op pagina 88 en 89 korte aanwijzingen voor Eerste Hulp.

Bloeddrinkers

De reden waarom dieren steken of bijten verschilt. Grofweg zijn er twee categorieën: om ons bloed te drinken en ter verdediging. Tot de bloeddrinkers behoren naast de hoofdluis ook vlooien, muggen en teken. Dat ze iets van ons nemen is niet erg, dat ze ons iets geven wel. Hun speeksel bevat stoffen die onze bloedstolling vertragen. Deze stoffen veroorzaken vaak jeukende bulten. Smeersels met zogenaamde antihistaminica verminderen de zwelling en jeuk. Hoewel ze snel resultaat geven, is het toch verstandig het gebruik te beperken. Plaatselijk toebrengen van antihistaminica kan tot overgevoeligheid leiden. Dit kan voor problemen zorgen als behandeling met antihistaminica een keer echt noodzakelijk is. Een pilletje – zoals tegen hooikoorts – werkt trager maar leidt niet tot overgevoeligheid.

Erger dan de jeuk is dat sommige bloeddrinkers ziektes kunnen overbrengen. Vergeleken met muskieten uit tropische landen zijn onze muggen onschuldig, maar de teek moeten we serieus nemen als verspreider van de ziekte van Lyme. Deze nare ziekte is goed te genezen als je er op tijd bij bent, maar is in een later stadium veel lastiger te behandelen.

Verdedigers

De drinkers proberen ons ongemerkt te steken, de verdedigers willen het tegendeel. In onze streken zijn vooral bijen en wespen geduchte verdedigende stekers. Het is riskant als je door deze insecten op een kwetsbare plek wordt gestoken of als je in korte tijd meerdere steken krijgt.

Een geruststelling: dieren die uit verdediging steken doen dat niet graag. Meestal gaat een steek van een bij, wesp of mier om een ongelukje. Bij kwallen is dat altijd het geval. De kans op pijnlijke ontmoetingen is te verkleinen door alert te zijn. Ga bijvoorbeeld de zee niet in als er steekkwallen op het strand liggen. En als je buiten uit een blikje drinkt, laat het dan niet onbeheerd staan. Je kunt aan de buitenkant niet zien dat er een wesp in zit. Een steek in je tong of keel is erg gevaarlijk.

Allergie

Ook overgevoeligheid voor het angelgif is gevaarlijk. In de meeste gevallen wordt een heftige reactie op een steek ten onrechte voor een allergische reactie aangezien. Zolang de zwelling plaatselijk is – ook als het gaat om een hele onderarm – gaat het niet om allergie. Een allergische reactie heeft effect op het hele lichaam, meestal binnen een kwartier na de steek. In milde gevallen treedt algehele malaise op, bij een heftiger allergische reactie gaat die samen met braken en diarree en in extreme gevallen met bewustzijnsverlies. Dan is snelle hulp geboden. Bel onmiddellijk 112.

Een geruststellende gedachte: een kind dat nog nooit door een wesp gestoken is, kan ook niet allergisch zijn voor wespensteken. Allergie bouw je op. Een heftige reactie kan wel een aanleiding zijn om op allergie te laten testen.

Teek

Een volwassen teek heeft acht poten. Daaraan is te zien dat hij dichter bij de spinnen staat dan bij de insecten. Wereldwijd zijn er 900 soorten beschreven, in Nederland zijn 14 soorten aangetroffen. Hoewel ze het grootste deel van hun tijd in de vrije natuur doorbrengen, worden teken het vaakst opgemerkt als ze vastgezogen zitten aan een dier of mens. De soort waar wij het vaakst mee te maken krijgen is de schapenteek. Die naam geeft al aan dat teken niet zo kieskeurig zijn.

Teek of geen teek?
De meeste mensen kennen een teek als een zachte, grijze watermeloenpit met pootjes. Meestal zien teken er heel anders uit. Die grijze pit is een volwassen vrouwtje dat zich net met bloed heeft volgezogen. Jonge teken, mannetjes en nuchtere vrouwtjes lijken meer op donkerbruine spinnetjes. Door hun speldenknopformaat zijn ze vaak alleen van een mijt of spinnetje te onderscheiden doordat teken een stuk minder beweeglijk zijn. Overigens is de kans een teek in de natuur te zien minimaal. Daarvoor is hun formaat, uiterlijk en gedrag te onopvallend. Onderzoekers vangen teken uit de vegetatie met een sleepnet. Daaruit blijkt dat ze plaatselijk erg talrijk kunnen zijn.

Een tekenleven
Een volgezogen vrouwtje legt na enige tijd tot 2000 eitjes waarna ze sterft. Dat grote aantal is niet voor niks. De kans dat een eitje het redt tot volwassen dier is klein. Teken leven in bos, hei, duin, ruige graslanden en andere gebieden met veel begroeiing. Meestal in 'de natuur' maar ook wel in parken en tuinen. De eitjes worden achtergelaten tussen het strooisel. Hoe lang het duurt voordat er een zespotig larfje uitkomt, hangt vooral af van de temperatuur: van een half jaar tot tien maanden.

Net als hoofdluizen zijn teken geen springers. Ook de larven niet. Ze laten zich ook niet op een slachtoffer vallen, maar moeten echt opstappen. Daarvoor zoeken ze een strategische plek. Daarna is het vooral een zaak van opletten en afwachten. Vaak maandenlang. De

Een volwassen schapenteek voor de maaltijd.

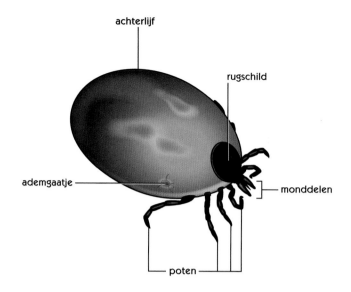

larven klampen zich meestal vast aan een passerende muis of een scharrelende vogel. Eenmaal volgezogen met bloed laat hij zich vallen en overwintert in het strooisel. In het voorjaar ontwikkelt de larve zich tot nimf: een maatje groter dan de larve en met acht poten. Het verhaal herhaalt zich, maar omdat een nimf liever een wat grotere gastheer heeft, zoekt hij het wat hogerop. De jonge teek wacht vastgeklampt aan een lange grasspriet of de tak van een struik af tot er een ree of andere gastheer passeert. Wanneer ook deze nimf genoeg bloed tot zich heeft genomen, laat hij zich vallen en neemt de tijd om het maal te verteren en zich te ontwikkelen tot volwassen teek.

Al met al gaat er tussen ei en volwassen teek tussen de twee en vier jaar voorbij. In die tijd gebruikt de teek maar twee maaltijden. Bij haar derde en laatste bloedmaal zwelt het achterlijf van het vrouwtje tot bizarre proporties. Het kleinere mannetje paart meestal op het moment dat een vrouwtje aan de maaltijd zit.

Een tekenbeet

Een teek steekt pijnloos maar zijn steekmond is wel minder subtiel gebouwd dan de haardunne zuigsnuit van een mug. De monddelen zagen zich de huid in waarbij de teek ook zijn kop grotendeels naar binnen werkt. Zo wacht hij zo'n 20 uur voordat hij zich begint te voeden. In die tijd verkleeft zijn mond met het huidweefsel. Dan pas brengt de teek speeksel in om stolling tegen te gaan en neemt bloed op. Ook hiervoor neemt hij de tijd. Pas na twee tot vijf dagen lost de verkleving weer op en laat de teek zich vallen.

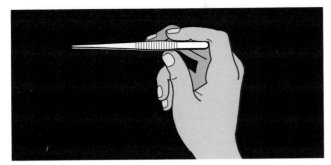

Verwijder een teek zo snel mogelijk met een puntige pincet.

Pak zijn kop direct boven de huid.

Trekken (niet draaien).

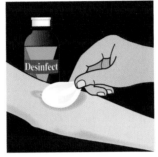

De wond ontsmetten.

Noteer de datum van de steek: bij klachten zal de dokter daar naar vragen.

Gelukkig voor ons pakken teken meestal een dier als gastheer. Maar ze grijpen ook hun kans als een mens toevallig passeert of vaker nog: stilhoudt. Doordat teken bijna altijd lager zitten dan anderhalve meter zijn kinderen kwetsbaarder. In de meeste gevallen is het een nimf die zich aan een mens vergrijpt, al was het maar doordat nimfen talrijker zijn dan volwassen teken. Een larve is het vrijwel nooit: die neemt meestal een muis of ander knaagdier. Voor ons is deze fase wel van belang: dit is het moment dat een teek besmet kan worden met de Borrelia bacterie, de veroorzaker van de beruchte ziekte van Lyme. Vervolgens kan een nimf of volwassen teek de bacterie via het speeksel in onze bloedbaan brengen. Omdat het doorgaans een etmaal duurt voordat een teek speeksel in de wond loslaat is de kans op besmetting klein als je hem voor die tijd verwijdert. Andersom is de kans op Lyme vrijwel honderd procent als een besmette teek 72 uur heeft vastgezeten. Snel controleren na een dagje struinen of spelen in de natuur is dan ook verstandig.

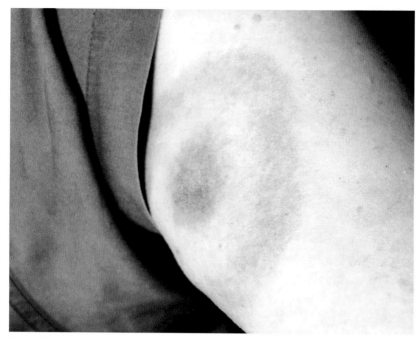

Een *bull's-eye* is vaak het eerste verschijnsel van Lyme.

De ziekte van Lyme

De ziekte van Lyme wordt veroorzaakt door de bacterie *Borrelia burgdorferi*. Vaak is het eerste verschijnsel na een besmetting via een tekenbeet een rode ring rond de eveneens rode beet. Alsof er een druppel rode inkt op een nat vloeipapier gevallen is. Dit verschijnsel kan na drie dagen optreden maar ook pas na twee maanden. Het kan ook dat de vlek op de plaats van de tekenbeet groter wordt en verkleurt naar roze of blauwachtig. Een ander mogelijk verschijnsel is een grieperig gevoel (koorts, gewrichtspijn, hoofdpijn). In een later stadium is er kans op gezichtsverlamming, heftige pijn in een arm of been, dubbelzien, slappe benen, pijnlijk gezwollen gewrichten, hartklachten, flauwvallen.

Een vaccin tegen Lyme bestaat niet en je kunt er ook niet immuun voor worden. Met antibiotica is de bacterie gelukkig goed te bestrijden. De behandeling moet wel binnen drie tot vier maanden gebeuren en schade kan blijvend zijn. Zekerheid door bloedonderzoek kan pas na ongeveer twee maanden worden gekregen. Bij twijfel zal een arts waarschijnlijk voor de zekerheid een antibioticakuur voorschrijven.

Tekenbeten voorkomen

 VERKLEIN DE KANS OM TEGEN TEKEN AAN TE LOPEN. Teken loop je vooral buiten de paden op. Tussen maart en oktober is de kans op een teek het grootst: ze worden actief als het warmer is dan 5° C.

 STOOT TEKEN AF. Het muggenwerende middel DEET houdt ook teken op afstand. In gespecialiseerde buitensportzaken is geïmpregneerde kleding te koop.

 DEK DE HUID AF. Draag bij het struinen in de natuur lange mouwen, een lange broek en laarzen. Geef kinderen een petje.

Tekenbeten behandelen

 CONTROLEER OP TEKEN na een riskante dag. Een nuchtere teek – zeker een nimf – is zo klein als een speldenknop. Vastgezogen doet zo'n teek eerder denken aan een bloedkorstje dan aan een beestje. Favoriete plekjes: lies, knieholte, oksel, binnenkant elleboog. Let ook speciaal op plekken waar kleding nauw tegen de huid sluit (elastiek onderbroek, bovenrand sokken, bh-bandjes). Controleer bij kinderen de hoofdhuid.

 PAK HEM BEET! Verwijder een teek zo snel mogelijk. Een speciale tekenpincet is handig maar geen must. Stel het verwijderen niet uit om een tekenpincet te gaan kopen, snelheid gaat voor! 'Verdoven' van de teek met alcohol, olie of een brandende peuk is onzin.

 ONTSMET DE BEETWOND met jodium of 70% alcohol. Is een deel van de teek achtergebleven? Niet erg. Ga niet peuteren: net als bij een splinter komt dat er vanzelf uit.

 WEES BEDACHT OP LYME. Houd de steek twee maanden in de gaten. Een rood plekje is normaal, maar wordt de plek groter – of erger: ontstaat er een rode kring – dan wijst dat op Lyme. Ook 'griep' is verdacht. Bij elke twijfel: naar de huisarts.

Wesp

De beruchte terras-terrorist behoort tot de zogenaamde plooivleugelwespen. Wereldwijd zijn er een kleine 5000 soorten, in Nederland ruim 50. Een paar daarvan, zoals de gewone wesp en de Duitse wesp, worden in de late zomer echte limonadewespen. Dat zijn de wespen waar we het hier over hebben.

Wesp of geen wesp?

Een wesp is makkelijk te herkennen met zijn zwart-gele streepjespak. Dat is ook precies zijn bedoeling: deze kleurencombinatie is in de natuur een door iedereen begrepen waarschuwing. Maar er zijn ook fraudeurs: sommige zweefvliegen hebben eenzelfde patroon maar kunnen niet steken. Als je rustig blijft kun je ze aan hun uiterlijk (één paar brede vleugels) en gedrag (stationair zweven) makkelijk van een wesp onderscheiden. Een wesp vouwt zijn twee paar vleugels in rust in de lengte waardoor ze erg smal lijken. Ook zal een wesp nooit stil voor je gezicht blijven zweven.

Een onschuldige *look-alike* van de wesp: de pyjamazweefvlieg.

Een wespenleven

Net als bijen leven wespen in een volk met de koningin als onbetwiste spil. Zij is een slag groter dan de rest en de enige die eitjes legt. De koningin is de moeder van alle andere wespen die het nest bevolken.

De gewone wesp is de meest algemene wespensoort in ons land.

Een jonge koningin paart in het najaar en heeft daaraan genoeg om alle eitjes die ze zal leggen te bevruchten. Voor het zover is gaat ze in winterslaap om pas weer in het voorjaar te ontwaken. Ze maakt van gekauwd hout het begin van een papieren nest waarin ze haar eerste jongen grootbrengt. Zodra ze zijn ontpopt helpen deze onvruchtbare werksters hun moeder met het uitbouwen van het nest, grootbrengen van de volgende jongen, zoeken van eten en alle andere taken. De koningin beperkt zich uiteindelijk tot eitjes leggen terwijl het volk in een seizoen kan uitgroeien tot een paar duizend ijverige wespen.

Wij krijgen vooral met de werksters in de buitendienst te maken. Meestal pas later in het jaar. Wespen zijn namelijk in de eerste plaats vleeseters. De werksters jagen op rupsen en andere insecten die ze doden, ontdoen van oneetbare ballast als poten en vleugels en meenemen naar het nest. De wespenlarven hebben behoefte aan eiwitrijk voedsel. Maar zoetigheid lusten wespen ook: ze drinken nectar en ze worden aangetrokken door de geur van zoet fruit – maar ook van jam, limonade, ijs, alcoholhoudende

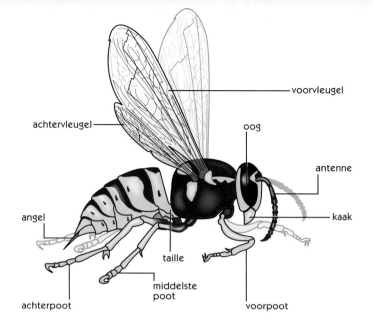

voorvleugel

achtervleugel

oog

antenne

angel

kaak

taille

achterpoot

middelste poot

voorpoot

drank en parfum – die ze met hun antennes van grote afstand kunnen waarnemen. In de nazomer worden jonge koninginnen en mannetjes (darren) geboren. Het volk valt dan uiteen en de werksters kunnen met pensioen. Juist die hangouderen zijn de lastpakken.

Wespensteken

Aan de punt van hun achterlijf hebben wespen een vlijmscherpe angel die ze gebruiken om tegenstribbelende prooien te doden en om zichzelf en hun volk te verdedigen. De angel is hol en verbonden met gifklieren. Een wespensteek is een regelrechte injectie met een voor kleine diertjes dodelijke en voor ons pijnlijke cocktail. De gestoken plek brandt, wordt rood en zwelt. Leuk is het nooit, maar gevaarlijk is het gelukkig zelden. De pijn en zwelling trekken na een paar uur weer weg. Een steek in de hals of de mond is wel riskant. Ook bij een groot aantal steken of bij allergie kunnen heftige reacties optreden.

Anders dan bij de honingbij is de angel van een wesp glad. Het voordeel: hij blijft zelden hangen. Het nadeel: een wesp kan meerdere keren steken. Dat alleen de vrouwtjes een angel hebben is geen geruststelling, het overgrote deel van een wespenvolk is vrouw en het zijn bijna altijd die werksters waarmee je te maken krijgt. Wel een geruststelling is dat wespen er nooit op uit zijn om een mens te steken. Dat zijn ze eigenlijk alleen als hun nest bedreigd wordt of als een wesp beklemd komt te zitten.

Wespensteken voorkomen

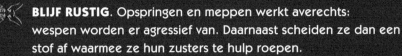 **BLIJF RUSTIG.** Opspringen en meppen werkt averechts: wespen worden er agressief van. Daarnaast scheiden ze dan een stof af waarmee ze hun zusters te hulp roepen.

WESPENVALLEN LOKKEN WESPEN. Wespenvallen hebben vaak een tegenovergesteld effect: ze trekken wespen aan. Dus een val in de buurt van een tent of terras is juist af te raden. En hoewel de vangst indrukwekkend oogt, heeft die nauwelijks invloed op het totale aantal. Eén nest wordt immers bevolkt door een paar duizend wespen.

PAS OP MET BLIKJES. Pas op met het buiten drinken uit een blikje. Je ziet aan de buitenkant niet of er een wesp in zit.

WESPENNEST VERWIJDEREN. Aangezien wespen prima muggenverdelgers zijn, is het de vraag of je wespen wel moet bestrijden. Zelfs een wespennest in de tuin hoeft niet per se verwijderd te worden. Moet dat wel, laat het dan aan een prof over. Jezelf in een wespennest steken is vragen om problemen.

ALS ALLERGIE BEKEND IS, is het raadzaam een speciale kuur te volgen om minder gevoelig voor wespensteken te worden ('desensibilisatie').

Wespensteken behandelen

BIJ HEFTIGE (ALLERGISCHE) REACTIE OF EEN STEEK IN DE MOND OF IN DE KEELHOLTE is het zaak om snel naar een dokter te gaan of zelfs 112 te bellen.

KOELEN is in de meeste gevallen een goede remedie. Doe ijs of iets anders uit de vriezer in een doekje en druk het op de pijnlijke plek.

UITZUIGEN MET EEN SPECIAAL SPUITJE en behandelen met lidocaïnecrème helpt.

AZIJN EN CITROENSAP ZIJN EFFECTIEVE HUISMIDDELEN. Zuur doet de werking van het gif teniet.

Bij

Bijensteken komen weliswaar minder vaak voor dan wespensteken maar ze kunnen wel harder aankomen. De belangrijkste, beroemdste maar ook beruchtste bij is die van de imker: de honingbij. In ons land komen ruim 350 soorten van de bijenfamilie voor – waaronder een handvol hommels – maar een bijensteek komt in de meeste gevallen van de honingbij. Het is deze soort die hier centraal staat.

Bij of geen bij?

In strips en tekenfilms dragen bijen vaak een zwart-geel wespenpakje. In werkelijkheid is de honingbij ingetogener gekleurd: grotendeels donker-bruin met geelbruin. Heel anders dan de oorlogskleuren van de wesp. Ook is de bij hariger. Maar niet zo harig als een hommel en ook minder dik. Met de hommel, die ook gemeen kan steken, is de honingbij nauw verwant. Dat is hij niet met de blinde bij, al lijkt hij daar veel meer op. Dat laatste is precies de bedoeling van deze zweefvlieg, want dat is het. Anders dan de honingbij heeft de blinde bij maar één paar vleugels en geen angel. Zijn imitatie is een truc om vogels en andere vijanden van het lijf te houden.

Anders dan zijn uiterlijk en naam doen vermoeden kan de blinde bij wel zien maar niet steken.

Een bijenleven

Er zijn bijensoorten die als kleine zelfstandige door het leven gaan, maar voor de honingbij geldt dat absoluut niet. Honingbijen leven met

Een werkster met stuifmeelklompjes aan haar achterpoten.

tienduizenden soortgenoten samen in een volk. Van nature huist een
bijenvolk meestal in een holle boom maar tegenwoordig woont de
overgrote meerderheid in een bijenkast, ter beschikking gesteld door
een imker. De meeste bijen in het volk zijn zogenaamde werksters,
de onbetwiste spil is de koningin. Anders dan veel mensen denken
is deze bij maar een beetje groter dan de werksters. Het verschil
in formaat zit vooral in het achterlijf. Daarin produceert ze aan de
lopende band eitjes, tot 2000 per dag. De paring heeft lang daarvoor
plaatsgevonden, tijdens de bruidsvlucht. De gelukkige bruidegom (een
dar) heeft de eerste huwelijksdag niet overleeft, de koningin heeft er
voldoende aan om nog jaren lang bevruchte eitjes te kunnen leggen.

Binnen het nest heerst een constante temperatuur van 35° C. Het
interieur bestaat uit raten, ingenieus gebouwd van bijenwas, een
afscheiding die de bijen zelf in klieren produceren. Een raat is
opgebouwd uit zeskantige buisjes. Behalve als opslag van honing en
stuifmeel dienen deze cellen ook als kinderkamer. De koningin legt

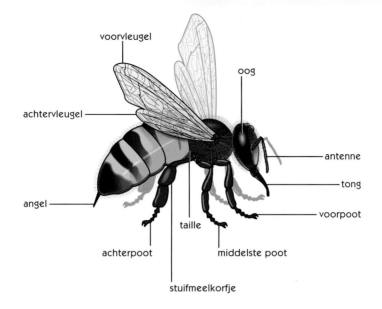

voorvleugel

oog

achtervleugel

antenne

tong

angel

voorpoot

taille

achterpoot

middelste poot

stuifmeelkorfje

er een eitje in, waaruit na drie dagen een larfje komt. Dit witte rupsje wordt door de werksters gevoerd en verzorgd en vult na anderhalve week de hele cel. Vervolgens wordt de cel met een wasdekseltje afgesloten, vervelt de larve een laatste keer tot pop en komt na ongeveer tien dagen als bij te voorschijn.

Een werkster vervult in haar leven verschillende taken. De eerste drie dagen als schoonmaakster in het nest, dan een week als kinderverzorgster, vervolgens komt de wasproductie op gang en werkt ze anderhalve week in de bouw. Daarna krijgt ze steeds meer contact met de buitenwereld. Eerst door de nectar en stuifmeel van de verzamelaars aan te nemen, dan door de bewaking van de ingang te verzorgen, tot slot door zelf in de buitendienst te gaan. Dat zijn de bijen die je op de bloemen ziet.

Bijensteken

Aan het uiteinde van hun achterlijf hebben de werksters een gevreesd wapen: een vlijmscherpe angel verbonden met een gifklier. Een honingbij steekt alleen uit zelfverdediging of beter: ter verdediging van het volk. Het uitdelen van een steek is namelijk een kamikazeactie. De angel is bezet met haakjes en blijft in een elastische mensenhuid haken. Als de bij daarna worstelt om vrij te komen scheurt de angel vaak met gifklier erbij van haar achterlijf. De klier blijft zelfs nog even doorpompen voor een optimaal effect. De bij zal snel sterven.

Voor de meeste mensen is een bijensteek erg pijnlijk. De reactie is vaak heftiger dan op een wespensteek doordat er meer gif wordt ingebracht en doordat de cocktail nog effectiever is. Ook komt allergie voor bijengif vaker voor. In de ergste gevallen zijn de verschijnselen levensbedreigend. Daar staat tegenover dat bijen minder snel steken en bloemen verkiezen boven terrasjes. De meeste steken vinden dan ook plaats in de buurt van een bijenkast, met de imker als meest waarschijnlijke slachtoffer. Imkers krijgen naarmate ze vaker gestoken worden doorgaans steeds minder last, maar het komt ook voor dat iemand juist overgevoeligheid opbouwt. In dat geval zit er weinig anders op dan te stoppen met de imkerij.

Bijensteken voorkomen

 NIET VOOR EEN BIJENKAST STAAN. Op een andere plek is wel veilig, bijen kunnen heel wat hebben. Beweeg in de buurt van een kast altijd rustig, ook – of juist – na een steek.

 WAARSCHUW EEN IMKER of de gemeente als een bijenzwerm in de tuin landt. Houd afstand.

ALS ALLERGIE BEKEND IS, is het raadzaam een speciale kuur te volgen om minder gevoelig voor bijensteken te worden ('desensibilisatie').

Bijensteken behandelen

 BIJ HEFTIGE (ALLERGISCHE) REACTIE OF EEN STEEK IN DE MOND OF IN DE KEELHOLTE is het zaak om snel naar een dokter te gaan of zelfs 112 te bellen.

VERWIJDER DE ANGEL ZO SNEL MOGELIJK UIT DE HUID. Vaak zit de gifklier er nog aan. Zorg dat die niet leeg gedrukt wordt. Elke seconde telt! Wondje schoonspoelen en ont- smetten, liefst met alcohol want dat werkt ook nog tegen bijengif.

 EEN EFFECTIEF HUISMIDDEL is zuiveringszout (natriumbicarbonaat) oftewel: bakpoeder. Maak er een papje van en doe dat op de steek: dat doet de werking van het gif teniet. Gebruik geen azijn (zoals aangeraden bij een wespensteek)

Vlo

Net als luizen zijn vlooien parasieten die bloed drinken bij warmbloedige dieren. Maar voor de rest verschillen deze insecten in bijna alles. De orde van de vlooien is totaal niet verwant met die van de luizen. Van de ruim 50 soorten vlooien die in Nederland zijn gevonden, komt de kattenvlo het meest voor. Neem die naam niet te serieus: vlooien zijn niet zo kritisch als luizen. Kattenvlooien nemen ook genoegen met honden en mensen.

Welke vlo?

Vlooien herkennen is niet moeilijk: kleine, bruine springertjes met een hoog en smal lichaam. Maar het onderscheiden van de verschillende soorten is microscopisch specialistenwerk. Een vlo in een huis met katten is hoogstwaarschijnlijk wel een kattenvlo. Bij honden waarschijnlijk een hondenvlo, al kan een kattenvlo in dat geval ook. Wees in ieder geval niet bang dat het mensenvlooien zijn. Die worden door onderzoekers alleen nog wel eens in de holen van vossen en dassen aangetroffen. Schrik ook niet van alles wat klein is en springt. Minuscule springertjes in bloempotten en tuinaarde zijn springstaarten: onschuldige afvaletende insectjes. Watervlooien zijn door het water stuiterende kreeftjes die algen eten.

Een vlooienleven

Vlooien komen heel wat makkelijker op een gastheer dan luizen. Dankzij hun krachtige springpoten, een ingenieus springmechanisme en natuurlijk hun geringe gewicht springen ze decimeters ver en hoog. In verhouding met hun lichaamslengte is dat een onvoorstelbare prestatie. En dankzij hun harde huid en natuurlijk ook hun geringe gewicht doet het ze niks als ze vervolgens op de grond neerkomen. Eenmaal in een vacht springen ze niet meer maar bewegen ze zich kruipend voort. Met hun poten en gestroomlijnde lichaam 'zwemmen' ze tussen de haren. Vlooien hebben stijve naar achter gerichte borstels op hun lichaam. Daardoor glijden ze makkelijk vooruit en moeilijk achteruit. Met hun harde, gladde pantser zijn ze goed bestand tegen krabbende nagels. En wordt een vlo toch uitgekrabd, dan springt hij zo weer terug.

Een kattenvlo springt van zijn gastheer.

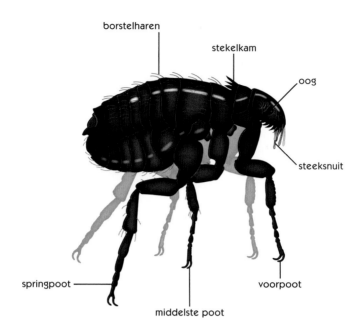

borstelharen
stekelkam
oog
steeksnuit
springpoot
voorpoot
middelste poot

De levenscyclus van vlooien verschilt sterk van die van luizen. Biologisch is het grootste verschil dat vlooien een echt larvestadium hebben dat via een pop overgaat in de volwassen vorm. Net als bij vlinders dus. Een vlooienlarve ziet er ook uit als een dunne, bleke, spaarzaam behaarde rups. Als verstijfde pop zit hij in een vuile spinselcocon. Functioneel is het grote verschil dat ze hun jeugd buiten de gastheer doorbrengen. De speldenknop-grote vlooieneitjes zijn glad en blijven niet in de vacht hangen. Meestal komen ze op de vaste slaapplaats van de gastheer terecht. Dat is ook de plek waar de larven zich voeden met allerlei rommel. Onder andere met vlooienpoepjes, die vaak nog onverteerde bloedresten bevatten. Na twee vervellingen verpopt de larve in een cocon.

Het duurt minstens een week voor de volwassen vlo ontpopt, maar soms duurt het veel langer. Vooral kattenvlooien hebben de neiging hun ontpopping uit te stellen tot het juiste moment. Als de kat van huis is – of een bepaalde kamer een tijd niet heeft kunnen gebruiken – kan dat tot een ware vlooienplaag leiden. Zodra de bewoners van vakantie terugkomen worden de vlooien door de trillingen wakker geschud. Het gevolg is een warm welkom door soms honderden vlooien die tegen je benen springen. De kat kan overigens op een nog warmer onthaal rekenen.

Vlooienbeten

Net als bij muggen en luizen bijten vlooien om zich met bloed te voeden. Ze zijn minder kritisch dan luizen maar wel kieskeuriger dan muggen. Kattenvlooien zijn in ieder geval niet vies van mensenbloed. Voor een maaltijd zet een vlo zich schrap met zijn poten, plaatst zijn kop tegen de huid en werkt zijn steeksnuit naar binnen. Vervolgens brengt hij wat speeksel in met stoffen die de bloedstolling tegengaan. Voor de vlo is dat noodzakelijk om een verstopte zuigsnuit te voorkomen, voor ons is het letterlijk irritant: het speeksel zorgt voor zwelling en jeuk. De één is er gevoeliger voor dan de ander, maar bij veel mensen jeuken vlooienbeten intens.

Met hun beten kunnen vlooien ziektes overbrengen. Als verspreiders van de builenpest hebben mensenvlooien die ook op ratten leefden in de middeleeuwen miljoenen slachtoffers gemaakt. Tegenwoordig hoeven we niet meer bang te zijn voor mensenvlooien en al helemaal niet voor de pest. Konijnenvlooien verspreiden het myxomatosevirus onder konijnen, kattenvlooien kunnen lintworm overdragen, maar voor mensen zijn ze ongevaarlijk.

Vlooienbeten voorkomen

 HUISDIER VLOOIENVRIJ HOUDEN. Vlooienbandjes, pilletjes, druppels. Katten die binnenblijven hebben aanzienlijk minder kans vlooien op te lopen.

 HUIS VLOOIENVRIJ HOUDEN. Manden, vloerkieren en tapijt stofzuigen om zo eitjes en larven te verwijderen. Houten vloeren nat schoonmaken is juist bevorderlijk voor vlooien.

 VAKANTIEPLAAG VOORKOMEN. Als de kat thuisblijft en overal kan komen, komt er juist geen plaag: de vlooien vermaken zich dan met de kat.

Vlooienbeten behandelen

 ANTI-JEUK CRÈMES tegen muggenbeten helpen ook tegen vlooienjeuk.

 HOOIKOORTSPILLETJES helpen ook tegen de jeuk. Vooral bij veel steken een beter alternatief dan smeersels.

Mug

In de biologie worden de muggen met de vliegen op één hoop
geveegd in de insectenorde 'tweevleugeligen'. Bij insecten is het bezit
van één paar vleugels inderdaad ongebruikelijk: de meeste hebben
twee paar of geen. Bij de tweevleugeligen is het achterste vleugelpaar
veranderd in merkwaardige trommelstokjes, de zogenaamde
'haltertjes'. Tot nu toe zijn er wereldwijd ruim 150.000 soorten
tweevleugeligen bekend, waarvan een schamele 5000 in ons eigen
land. Daar zitten er een hoop bij die nog geen vlieg kwaad doen, maar
ook een aantal vervelende bloedzuigers. De mug die ons de meeste
bulten bezorgt is *Culex pipiens*, oftewel: de gewone steekmug. Deze
soort dient ook hier als voorbeeld.

Steekmug of niet?
De gewone steekmug is het huis-, tuin- en keukenmodel. Een onhandig
vliegende slungel die ook vaak rond het huis wordt gezien, is de
langpootmug. In rust staan zijn vleugels driekwart uitgeklapt, de
haltertjes zijn dan goed te zien. Ondanks hun griezelige formaat zijn
langpootmuggen onschuldige sapdrinkers. De geringde steekmug is
dat niet. Deze soort valt mensen vaak 's winters lastig en veroorzaakt
soms nare bulten. Hij onderscheidt zich van de gewone steekmug
door de witte banden op zijn poten. Daardoor wordt hij vaak weer
verward met de veel zeldzamere maar wel gevaarlijkere tijgermug. Deze

De langpootmug: een grote, vriendelijke reus.

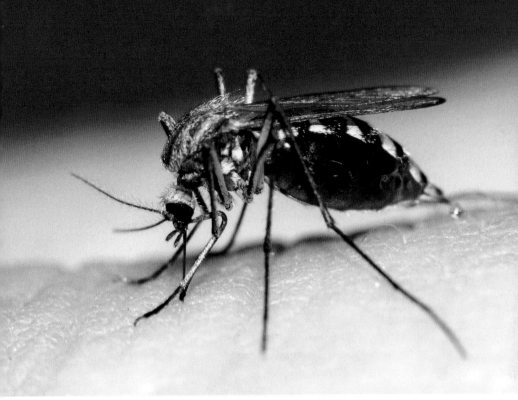

Na een maaltijd zal de mug op zijn vroegst na drie dagen opnieuw steken.

mug is als verstekeling uit Zuidoost-Azië naar Europa gekomen en kan nare ziektes als de knokkelkoorts overbrengen. Sinds 2005 wordt hij weliswaar regelmatig gezien maar de trefkans blijft klein. Malariamuggen komen ook wel in Nederland voor, maar niet de gevreesde varianten.

Een muggenleven

Mannelijke steekmuggen steken niet. Ze leven van nectar en brengen een belangrijk deel van hun tijd door met dansen. Een zwerm dansende muggenmannetjes oefent een onweerstaanbare aantrekkingskracht uit op paarlustige muggenmeiden. Anders dan de zoetsappige mannetjes zijn de vrouwtjes wel bloeddorstig. Als de gewone steekmug de keus heeft zal ze overigens geen bloed van een mens maar van een vogel of een varken aftappen. Het vrouwtje heeft het eiwitrijke bloed nodig om eitjes te vormen. Ze kan zonder, maar dan legt ze hooguit een pakketje van veertig eieren, na een portie bloed is dat het tienvoudige. Het vrouwtje zoekt stilstaand zoet water uit om de eitjes te leggen. Een sloot of vijver, maar ook een volgeregende speciekuip voldoet prima als

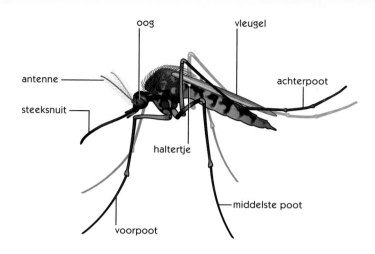

oog   vleugel

antenne

steeksnuit

achterpoot

haltertje

middelste poot

voorpoot

kraamkamer. Dankzij haar waterafstotende poten en lichte gewicht kan de mug op het wateroppervlak landen. De eveneens waterafstotende eitjes plakken aan elkaar tot een vlotje.

Al na een paar dagen kruipen de larven uit de eitjes. De muggenlarven hangen ondersteboven onder het wateroppervlak, filteren algen en ander eetbaar materiaal uit het water en ademen lucht via hun achtereind. Bij onraad kringelen ze naar de bodem. Na een week of drie veranderen ze in een komma-vormige pop die met zijn kop aan het wateroppervlak hangt. Binnen in de pop voltrekt zich in een dag of drie een ware metamorfose. Dan scheurt de rug open en kruipt er een feeëriek wezentje omhoog. Als na een kwartiertje de vleugels zijn opgepompt en de huid is uitgehard, vliegt het weg op zoek naar een partner en – de vrouwtjes – een slachtoffer. Het overgrote deel van de muggen valt overigens ten prooi aan zwaluwen, kikkers, vleermuizen en andere insecteneters.

Muggenbeten

Muggen 'bijten', maar de manier waarop ze zich voeden heeft toch meer van steken. Hun monddelen vormen een ingenieus steekapparaat. Het bestaat uit zes ten opzichte van elkaar bewegende delen. In rust zit het geheel veilig opgeborgen in een schede die tijdens het steken naar achter buigt. Een flinterdun buisje met twee kanalen zaagt zich de huid in. Zodra de mug een ader heeft aangeboord, brengt ze via één kanaal speeksel in. Dat bevat een stollingsremmer. Voor de mug is dat van levensbelang: anders zou het voedingskanaal onherroepelijk verstopt raken. Voor ons is juist dat speeksel irritant: het veroorzaakt de beruchte jeukende muggenbulten.

Het kan erger. Via het speeksel kunnen ook ziekteverwekkers in onze bloedbaan terecht komen. Berucht zijn malaria en gele koorts, maar die worden niet door de gewone steekmug overgedragen. Toch gaat deze soort sinds enkele jaren niet meer helemaal vrijuit. In Zuid-Europa en in de Verenigde Staten is *Culex pipiens* steeds vaker drager van het West-Nijlvirus dat een vorm van hersenvliesontsteking kan veroorzaken. In onze streken is een beet van de gewone steekmug gelukkig nog zonder gevaar.

Muggenbeten voorkomen

HORREN VOOR DE RAMEN voorkomen dat de muggen naar binnen komen. Vooral van belang bij de kinderkamer, want kinderen zijn vaak gevoeliger en steekmuggen zijn vooral vroeg op de avond actief. Een goedkoop, effectief en gezellig alternatief: de klamboe.

GEEN MUGGEN KWEKEN. Gooi teilen, emmers en gieters die in de tuin staan regelmatig leeg. Vijvers – zeker met kikkers en vissen – zijn minder productief als muggenkwekerij.

AFWEERMIDDELEN. Lotions met DEET zijn effectief maar hebben als nadeel dat deze stof plastic kan aantasten (contactlenzen!). Citroen-geraniums op de vensterbank stoten muggen af maar vormen geen onneembare barrière. Kaarsen met citronella en brandende mug-genspiralen kunnen alleen buitenshuis gebruikt worden. Ze werken alleen op korte afstand.

DODEN. Met de gifspuit door het huis is niet meer van deze tijd maar vliegenmepper en opgerolde krant zijn tijdloos. Dit boek werkt ook uitstekend.

Muggenbeten behandelen

NIET KRABBEN. Makkelijker gezegd dan gedaan, maar wel verstandig. Krabben is even lekker maar kan daarna de jeuk juist verergeren. Openkrabben kan infecties of littekens geven.

SMEREN EN AANSTIPPEN. Middelen met antihistamine, zoals Azaron en Prrrikweg, onderdrukken de jeuk. Spaarzaam gebruiken want ze kunnen overgevoeligheid veroorzaken. Azijn werkt ook en heeft de voorkeur.

HOOIKOORTSPILLETJES helpen ook tegen de jeuk. Vooral bij veel steken een beter alternatief dan smeersels.

Mier

Mieren leven bijna overal. In sommige tropische gebieden is
hun gezamenlijke gewicht groter dan dat van alle andere dieren
samen. Ook in ons land kun je ze op allerlei verschillende plekken
tegenkomen. Geen tuin of stoep zonder mieren. Soms komen ze
zelfs spontaan ons huis binnen om van zoetigheid te snoepen. Toch
gebeurt het zelden dat je door een mier wordt gebeten. Van de 75
soorten mieren in ons land zijn er maar een paar die ons pijn kunnen
doen. In de meeste gevallen gaat het dan om de rode bosmier.

Rode bosmier of zwarte stadsmier?

Mieren zal iedereen wel herkennen: kleine, vleugelloze insecten met
ADHD. Van dichtbij vallen hun geknakte antennes op en hun smalle taille.
Zoals zijn naam al aangeeft is de rode bosmier een bosbewoner. In een
stadstuin zul je hem niet tegenkomen en zeker niet in de keuken. Als
je daar een mier ziet is dat vaak de zwartbruine wegmier. Dit kleine,
glanzende miertje is zo donker gekleurd als zijn naam doet vermoeden. De
rode bosmier is een flinke slag groter. Wat betreft de kleur is de naam wat
overdreven: hij heeft wel roodbruine delen maar het grootste deel van zijn
lichaam is donkerbruin. Eigenlijk is het nest – de zogenaamde mierenhoop –
de beste manier om vast te stellen dat je met deze mier te doen hebt.

De kaken van de zwartbruine wegmier zijn te klein om een mensenhuid te doorboren.

Bij een mierenbeet gaat het in onze streken bijna altijd om de rode bosmier.

Een mierenleven

De rode bosmier leeft duidelijk niet alleen. Hoe ijverig ook, in zijn eentje zou een mier zo'n enorm bouwwerk nooit van de grond krijgen. Net als andere mieren en net als de aan mieren verwante bijen en wespen leeft de bosmier intensief samen als volk. Ook hier is de koningin de spil en moeder en wordt het werk gedaan door haar dochters, de onvruchtbare werksters. Bij de rode bosmier komt het soms voor dat er meer dan één koningin in een volk woont, bij enkele verwante mierensoorten is dat zelfs de regel.

Net als al haar soortgenoten begint een koningin haar leven als eitje in het hart van een mierenhoop. Anders dan de werksters ontpopt ze na haar larventijd echter als een gevleugelde mier. Tijdens een bruidsvlucht ontmoet ze een eveneens gevleugeld mannetje waarmee ze paart. Daaraan heeft ze voor haar lange leven genoeg sperma om alle eitjes die ze zal leggen mee te bevruchten. Heel indrukwekkend, want ze kan meer dan 15 jaar blijven leven en het aantal rode

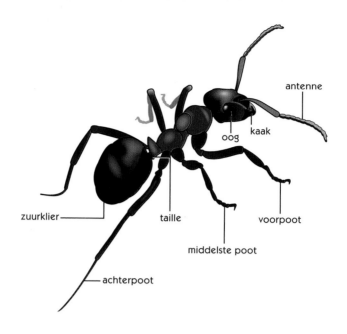

antenne

oog kaak

zuurklier taille voorpoot

middelste poot

achterpoot

bosmieren in één volk kan tot honderdduizenden oplopen. Om haar volk te stichten maakt de jonge koningin van de rode bosmier misbruik van een kleinere mierensoort. Ze doodt hun koningin en de werksters helpen met het grootbrengen van hun stiefzusters. Al snel krijgen die de overhand en groeit het nest uit tot een volledige rode mierenhoop. De zichtbare hoop is het topje van de ijsberg, vooral bedoeld om de temperatuur in het grotendeels ondergrondse nest op 25° C te houden.

De werksters werken niet alleen in de bouw en de jeugdzorg, maar ook in de catering. Het voedsel bestaat bij de rode bosmier voor een belangrijk deel uit rupsen en andere insecten. Ze worden gedood, zonodig in stukken geknipt en naar het nest gebracht. De voedselbehoefte van het volk is groot, tot genoegen van bosbouwers. In een naaldbos met rode bosmieren zullen rupsen niet snel een plaag vormen. Tot slot zorgen de werksters voor de beveiliging van het nest. En dat is ook wanneer mensen op pijnlijke manier kennis met deze mieren kunnen maken.

Kaken en mierenzuur

Een beet van één rode bosmier is zelden erg, maar als je per ongeluk op een mierenhoop gaat zitten, kan het wel vervelend uitpakken. Als een mier in de aanval gaat, komt er een stof vrij die de andere mieren alarmeert. Vooral de gespecialiseerde soldaten komen dan in actie en gaan massaal in de aanval met hun grote, krachtige kaken.

Er wordt wel eens gezegd dat mieren steken. Helemaal onwaar is dat niet, want er bestaan mieren die een angel aan het uiteinde van hun achterlijf hebben. In Nederland hebben we geen last van zulke stekers. Wel van bijters. De meeste mieren krijgen met hun kleine kaakjes geen vat op onze huid, maar de rode bosmier wel. Zeker de soldaten. Toch zou zo'n beet niet veel pijn doen als de mieren niet nog een chemisch wapen in de strijd zouden gooien. In hun achterlijf maken ze een bijtende vloeistof aan die grotendeels bestaat uit mierenzuur en daarnaast uit nog wat vervelende eiwitachtige stoffen. Tijdens of na het bijten keert de lenige bosmier haar achterlijf onderlangs naar voren en sproeit de cocktail in de wond. Het effect is pijnlijk, maar hoe pijnlijk verschilt per persoon. Sommige mensen kunnen er heftig op reageren. Gelukkig is ook een allergische reactie bijna nooit zo ernstig dat er een arts aan te pas hoeft te komen. Normaal verdwijnt de pijn na een half uur weer. De jeuk die daarop volgt kan nog wel een tijd aanhouden.

Mierenbeten voorkomen

 LET OP WAAR JE NEERSTRIJKT. Een mierenhoop valt niet altijd op. Soms nodigt het droge kussen van dennennaalden juist uit om op te gaan zitten. Geen goed idee.

 NIET BESTRIJDEN. Bosmieren vermijden is verstandig, bestrijden niet. Ze vormen nooit een plaag. Wegmieren bijten niet maar kunnen wel erg lastig zijn als ze in de keukenkastjes komen. Ook dan is er wel wat anders te verzinnen dan lokdoosjes met gif. Een manier om ze buiten te houden is een hoopje suiker naast het nest. Ook een mier is liever lui.

Mierenbeten behandelen

 WACHTEN. Meestal trekt de pijn binnen een half uur vanzelf weg. IJS OF EEN ANTI-JEUK CRÈME verzachten de pijn.

Kwal

Kwallen kunnen een dagje strand vergallen. Door een pijnlijke steek maar vaker nog doordat je de zee niet meer in durft als je een paar van die aangespoelde lillende hoopjes vindt. Het is inderdaad waar dat de meeste van de ruim 200 soorten kwallen kunnen steken, sommige uiterst pijnlijk. Meest gevreesd zijn de kubuskwallen die bij Noord-Australië en in Zuidoost-Azië jaarlijks tientallen dodelijke slachtoffers maken. Maar langs de Noordzeekust hebben we minder te vrezen. De kwal die het meest voorkomt steekt zelfs niet.

Wel of geen prikkwal?

Afgezien van een aantal zeldzaamheden komen langs onze stranden vijf soorten kwallen voor. De meest algemene daarvan – ook wereldwijd trouwens – is de oorkwal: een onschuldige soort. Deze doorzichtige kwal is makkelijk herkenbaar aan het geelwitte of roze klavertje vier in zijn klok. Ook de indrukwekkende zeepaddenstoel is ongevaarlijk. Door zijn formaat en de blauwgroene kleur met donkerpaarse franjerand zaait deze dikhuid onder de kwallen nog wel eens paniek. Dat is onterecht. Op zijn hoogst veroorzaakt hij een licht branderig gevoel. Maar dan moet je hem ook pal tegen het lijf zwemmen want de zeepaddenstoel heeft geen tentakels.

Oorkwallen prikken niet of nauwelijks.

De blauwe haarkwal heeft een haardos met honderden pijnlijk stekende tentakels.

De kompaskwal: een goed herkenbare steker.

De zeepaddenstoel: indrukwekkend maar steekt niet tot nauwelijks.

De kompaskwal heeft die wel. Om precies te zijn 24 van zo'n twee meter lang waarmee hij ook kan steken. Deze kwal is overduidelijk te herkennen aan de 'kompas-roos' van V-vormige bruine merkjes. Haarkwallen hebben honderden tentakels onder hun klok hangen, als een wilde haardos. Zowel de steken van de blauwe haarkwal als van de grotere, maar bij ons ook zeldzamere gele haarkwal kunnen erg pijnlijk zijn.

Een kwallenleven

Bijna alle kwallen leven in de zee en komen vooral langs de kust voor. Hoewel ze kunnen zwemmen is het toch vooral de stroming die bepaalt waar ze komen. Voor de bevruchting hoeven kwallen elkaar niet op te zoeken. De mannetjes laten hun zaad in het zeewater los in de hoop dat het bij een eitje van een soortgenoot komt. In de praktijk blijkt dat geen probleem. Bij de meeste soorten laten ook de vrouwtjes de eitjes in het water los maar bij sommige soorten, waaronder de oorkwal, worden de eitjes in het lichaam van het vrouwtje bevrucht. Eerst groeit het eitje uit tot een zwemmend larfje. Dat gaat op zoek naar een stevig stukje zeebodem. Daarop hecht het zich vast en groeit uit tot een poliep. Aan de bovenkant daarvan snoert zich steeds een schijfje met tentakels af: een kwalletje. Zo ontstaan dus uit één bevrucht eitje meerdere kwallen, als een soort stekjes.

De meeste kwallen groeien snel en zijn al hetzelfde seizoen volwassen. Hun lichaam bestaat voor meer dan 95 % uit water, dus ze kunnen met relatief weinig voedsel flink wat massa maken. Sommige kwallen grijpen wel eens een visje maar het overgrote deel van hun menu bestaat uit dierlijk plankton. De prooi wordt met de tentakels stilgelegd en de mond in getrokken. In de maag wordt het voedsel verteerd en opgenomen. De onverteerbare delen worden geloosd via de mond, die dus ook als anus dienstdoet.

De gele haarkwal kan in noordelijke wateren enorm worden. Met een diameter van soms meer dan twee meter en tentakels tot over de dertig meter is het de grootste kwal ter wereld. Toch zijn er maar weinig kwallen die langer dan een jaar leven. De meeste zijn na de zomer afgeschreven.

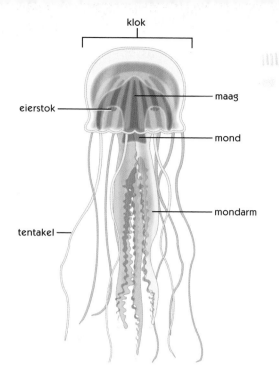

klok

maag

eierstok

mond

mondarm

tentakel

Kwallensteken

De kwallen horen bij de neteldieren. Net als hun vastzittende verwanten de zeeanemonen en de koralen hebben de kwallen tentakels die bezet zijn met zogenaamde netelcellen. Elke netelcel bestaat uit een blaasje waarin een minuscuul harpoentje zit. Als de netelcel in aanraking komt met een prooi klapt het blaasje binnenstebuiten en schiet het giftige pijltje eruit. Bovendien kan een tentakel razendsnel worden ingetrokken, waardoor het slachtoffer met nog veel meer netels in aanraking komt.

De mens is geen prooi. Kwallen zijn er dan ook nooit op uit om ons te steken. Maar de netelcellen maken geen onderscheid en gaan ook af als ze met onze huid in aanraking komen. Sommige komen daar niet doorheen, maar de meeste wel. Het mechanisme werkt automatisch. Zelfs dode kwallen of losgeraakte tentakels kunnen nog steken. De samenstelling van het gif verschilt per soort. Dat maakt behandeling lastig want als je tijdens het zwemmen wordt gestoken weet je vaak niet om welke soort het ging. Het is een raadsel waarom sommige soorten zo'n overkill aan gif hebben, terwijl ze van plankton leven. Mogelijk dient de steek ook als afweer. Kwallen hebben inderdaad weinig vijanden. Maar ook weinig vrienden. Alleen duikers zien ze graag, want onder water zijn het misschien wel de mooiste wezens die er bestaan.

Kwallensteken voorkomen

 AANGESPOELDE KWALLEN OP HET STRAND zijn een aanwijzing dat er in zee nog veel meer zijn.

 IDENTIFICEER DE KWAL. Meestal gaat het om de onschuldige oorkwal (klavertje vier). Ook de stevige, grote zeepaddenstoel steekt niet. Stekende kwallen langs onze kust zijn de blauwe en gele haarkwal (heftig) en de kompaskwal (tamelijk heftig).

 ZIJN ER BADGASTEN GESTOKEN, ga dan niet het water in. **LET OP DE WIND**. Bij ons overheerst wind uit het zuidwesten.

 Met aflandige oostenwind – en daarmee een naar de kust gerichte onderstroom – is het kwallenweer.

 LAAT DE KWALLEN HEEL. Ga ze niet te lijf met een strandschep. Dat elk stukje weer uitgroeit tot een kwal is niet waar, maar wel dat de losse tentakels nog urenlang kunnen steken. Ook op het droge.

Kwallensteken behandelen

 DRAAG (KEUKEN)HANDSCHOENEN BIJ HET BEHANDELEN VAN KWALLENBETEN. De kans is groot dat er nog werkende netelcellen op de huid aanwezig zijn.

 VERWIJDER NOG AANWEZIGE TENTAKELS. Het best is schrapen met bijvoorbeeld een bankpasje, met een rustige haal. Absoluut fout: met zand schuren. Ook douchen kan verkeerd uitpakken: door zoet water knappen de netelcellen open.

DEP MET AZIJN. Ook koelen is goed om de pijn te verlichten. **DOE GEEN RARE DINGEN**. Veel goedbedoelde tips doen meer kwaad dan goed. Ze variëren van vies (mosterd, mest, urine) tot gevaarlijk (benzine, aceton).

Bijlagen

Eerste Hulp bij Steken

BIJ
— Heftige reacties: direct naar de huisarts of 112 bellen.
— Angel direct met de nagel verwijderen. Elke seconde telt!

HOMMEL
— Steekt zelden. Als bij maar minder heftig: gladde angel blijft zelden zitten.
— Bij heftige reactie (zeer zeldzaam): direct naar de huisarts of 112 bellen en melden dat het om een hommel gaat.
— Uitzuigen en/of koelen.

KWAL
— Schraap de tentakels van de huid (bijv. met bankpasje). Pas op voor eigen handen. Draag (keuken)handschoenen.
— Niet met zand schuren.
— Niet douchen.

MIER
— Gaat meestal vanzelf over.
— IJs (koelen in het algemeen) of een anti-jeuk crème verzachten de pijn.
— Niet krabben

MUG
— Niet krabben.
— Alleen bij ernstige jeuk smeren met middelen waar antihistamine in zit, zoals Azaron en Prrrikweg.

RUPS
— Meestal eikenprocessierups: irritatie door haren. Kan ook via de lucht.
— Douchen. Niet wrijven!

SPIN

— Meest voorkomende beet: rood-witte celspin tijdens tuinieren (vaak onder houtblokken).
— Bijtwondjes goed uitspoelen.
— Beet andere spinnen zeldzaam.
— Advies: spinnen niet vastpakken.

TEEK

— Verwijderen met een puntige pincet.
— Bij de kop pakken, recht omhoog trekken, niet draaien.

VIS (ZEE)

— Gaat meestal om pieterman: bodemvis met giftige rugstekel.
— Steek meestal in de voet. Hevige pijn.
— Gestoken plek in heet water houden (niet zo heet dat de huid verbrandt).

VLIEG

— Meestal een daas: snelle vlieg met grote, vaak kleurige ogen.
— Steekt overdag, vaak bij water (badgasten)
— Pijnlijke steek zonder veel gevolgen. Koelen verzacht de pijn. Zo mogelijk ontsmetten.

VLO

— Anti-jeuk crèmes tegen muggenbeten helpen ook tegen vlooienjeuk.
— Hooikoortspilletjes helpen ook tegen de jeuk. Vooral bij veel steken een beter alternatief dan smeersels.

WESP

— Heftige reacties: direct naar de huisarts of 112 bellen.
— Azijn of citroensap. Uitzuigen met een spuitje.
— Steek in mond: op ijsklontje zuigen.

Organisaties, sites en boeken

Landelijk Steunpunt Hoofdluis
www.landelijksteunpunthoofdluis.nl

Het Landelijk Steunpunt Hoofdluis is een goed initiatief van en voor ouders van basisschoolkinderen. Het steunpunt wil luizencampagnes landelijk op elkaar afstemmen en organiseert onder andere jaarlijks de Nationale Luizendag. De organisatie heeft een overzichtelijke site met informatie, protocollen en een luizenshop waar scholen spotgoedkope goede luizenkammen per doos (50 stuks) kunnen bestellen.

RIVM
www.rivm.nl

Het Rijksinstituut voor Volksgezondheid en Milieu (RIVM) is het toonaangevende kennis- en onderzoeksinstituut gericht op de bevordering van de publieke gezondheid en een gezond en veilig leefmilieu. Het RIVM houdt zich ook bezig met hoofdluizen en teken. Ga naar de tab 'onderwerpen' en zoek op de beginletter. Heel bruikbaar zijn de te downloaden pdf's van rapporten, protocollen en voorlichtingsmateriaal (folders, posters, kleurplaten).

James Cook University
www.jcu.edu.au

Aan de James Cook University in Australië wordt veel onderzoek naar hoofdluis gedaan. Via de site van deze universiteit wordt ook veel publieksinformatie geboden. Engelstalig uiteraard. Doorzoek de site met als zoekwoord 'head lice', kies een interessante titel en surf van daaruit verder.

LouseBuster
www.lousebuster.com en www.mardicare.nl

Het apparaat dat het mogelijk helemaal gaat maken: luizenbestrijding met hete lucht. De site is commercieel en even Amerikaans als het apparaat, maar de demo-filmpjes zijn verhelderend. Het Nederlandse vlaggetje leidt naar de site van importeur MardiCare met Nederlandstalige informatie.

De Luizenkliniek
www.luizenkliniek.nl

Een commercieel initiatief om via een abonnement alle leerlingen van een school luizenvrij te laten houden met de LouseBuster. Particulieren zijn welkom in de kliniek. Nu nog alleen in Den Haag.

Management and Control of Head Lice Infestations
Jörg Heukelbach, Lehmans media; isbn 978 18 4815 154 3

Wetenschappelijk werk over de hoofdluis. De meest recente (2010) stand van zaken, degelijk onderbouwd. Zeer betrouwbaar, interessant maar geen lichte kost. Bevat een mooi overzicht met meer toegankelijke websites. Engelstalig.

Beten en steken
Willem Takken, Tirion natuur; isbn 978 90 5210 708 0

Overzichtelijk boekje over 'hinderlijke insecten en andere plaaggeesten en hun effecten op onze gezondheid'. Inheemse soorten zoals steekmug, wesp en hoofdluis komen aan de orde maar de meeste soorten zijn exotisch. Uitsluitend geleedpotigen, dus kwallen vallen buiten de boot.

Gestoken of gebeten?
Frans Rochette, Standaard Uitgeverij; isbn 978 90 341 9958 4

Boekwerk over 'medisch belangrijke insecten, mijten, teken en spinnen in West-Europa'. Uitgebreide achtergrond en aanwijzingen voor bestrijden, vermijden en behandelen. Veel soorten, over de hele linie betrouwbaar en goed onderbouwd.

'Gevaarlijke' zeedieren
John Serton en Jos Groenen; isbn 90 7740 1 02 4

Bedoeld voor sportduikers. Hier komen de kwallen ruim aan de orde. Daarnaast allerlei andere voornamelijk exotische stekers en bijters, van zee-egels tot haaien. Uitgebreid, ruim geïllustreerd en goed leesbaar. Gezien de soms gruwelijke foto's zijn de aanhalingstekens misplaatst.

Register

Foto- en illustratieverantwoording